le rire en herbe

JEAN-CHARLES | *ŒUVRES*

LA FOIRE AUX CANCRES	*J'ai Lu* 1669**
LE RIRE EN HERBE	*J'ai Lu* 1730**
HARDI ! LES CANCRES	
CANCRES EN LIBERTÉ	
LA FOIRE AUX CANCRES CONTINUE	*J'ai Lu* 1773**
	(mars 84)

TOUS DES CANCRES
LE FESTIVAL DES CANCRES
VINGT CANCRES APRÈS
L'ÉCOLE DES MALINS
LA BATAILLE DU RIRE
LE RIRE C'EST LA SANTÉ
LA FOIRE AUX BIDASSES
L'AMOUR EN PERLES
LA FOIRE AUX RONDS-DE-CUIR
SACRÉS GENDARMES
22 LES FLICS
DRÔLE DE JUSTICE
TRÈS CHÈRES VACANCES
LE RIRE SUR ORDONNANCE
LES GAIETÉS DE LA MARINE
LES PERLES DU FACTEUR
LES NOUVELLES PERLES DU FACTEUR
HISTOIRES Á NE PAS METTRE
ENTRE TOUTES LES MAINS
HISTOIRES CROUSTILLANTES
HISTOIRES GRATINÉES
LE DICTIONNAIRE DU SPHINX
LE LEXIQUE DES HISTOIRES DRÔLES
OÙ EST DONC MA FEMME ? *(roman)*
PHAMA, PRIX GONCOURT *(roman)*
MÉMOIRES D'UN CANCRE *(souvenirs)*
SUIVEZ LE CANCRE *(souvenirs)*
L'HISTOIRE VUE PAR LES CANCRES
(bande dessinée)

JEAN-CHARLES

le rire
en herbe

édition revue et augmentée
de quelques notes de l'auteur

Éditions J'ai Lu

A ma mère.

PREMIÈRE PARTIE

LA BOÎTE A MALICES

Préambule

J'avais dix ans quand je répondis à un référendum organisé par Jean Nohain (que l'on appelait alors Jaboune). Il demandait aux « Benjamins » d'expliquer le métier qu'ils souhaitaient exercer plus tard. Je répondis que je voulais être écrivain et bijoutier.

Le bon Jaboune publia ma réponse avec un commentaire ironique, dans lequel il se demandait pourquoi je ne précisais pas *si ce sont les livres ou les bijoux qui constitueront la « prime à tout acheteur »*.

Pendant vingt ans, ce problème m'a préoccupé, sans que j'y trouve de réponse. Jusqu'au jour où j'eus l'idée d'un recueil de lettres drôles. Je tenais la solution sous la forme d'un titre qui aurait pu servir d'enseigne à une bijouterie : *les Perles du facteur*, bientôt suivi des *Nouvelles Perles du facteur* et de *la Foire aux cancres*.

Comme il ne faut pas s'arrêter en si bon chemin, j'ai repris le collier afin de présenter une suite à *la Foire aux cancres*. Pourtant les perles scolaires occuperont surtout la deuxième partie de ce livre.

Avant de rouvrir les annales de la cancrerie, je

tiens en effet à rappeler que le génie comique des enfants ne réside pas seulement dans l'erreur et que certains de leurs mots sont dignes, eux aussi, de passer à la postérité. J'y pense d'ailleurs depuis l'âge de quinze ans, où je me mis à noter les mots de mes frères et de mes cousins, dans un petit carnet noir. Le temps a passé, les enfants de 1937 ont grandi et ils ont maintenant des enfants qui font à leur tour des mots...

Les gosses de ma famille ne sont cependant pas seuls à pratiquer le rire en herbe. C'est pourquoi j'ai donné la parole à d'autres enfants. Naturellement, je me suis efforcé de ne citer que des mots authentiques, ce qui est loin d'être simple quand il s'agit des rejetons des gens célèbres.

Les échotiers ont en effet la fâcheuse habitude de prêter aux enfants des célébrités des mots qu'ils n'ont jamais dits. Cela ne signifie pas forcément que ces mots ont été fabriqués. En général, ils proviennent de vieux recueils ou ont été empruntés à des enfants dont les parents ne sont pas célèbres.

L'habitude de prêter aux riches n'est pas neuve. Tristan Bernard disait : « Chaque matin j'apprends par les journaux les mots que j'ai faits la veille. » Tandis que Pierre Larousse, dans son *Grand Dictionnaire universel du XIXe siècle*, se plaignait déjà de *la manie que l'on apporte à dénaturer l'anecdote pour la rajeunir... et à remplacer les noms anciens par des noms contemporains*. Ménage, Vaugelas ou Piron faisant place à Alfred de Musset, Gérard de Nerval ou Guizot.

Aujourd'hui, rien n'est changé. Un de mes copains trouva un jour, dans une revue américaine, ce propos d'un quelconque penseur du cru : *Vous ne croyez pas à la chance, mais alors comment expliquez-vous le succès de vos ennemis ?* Il le fit passer dans un journal français, en l'attribuant à Jean Cocteau. Quelques jours plus tard, la même phrase refranchissait l'Atlantique et paraissait dans deux revues américaines... sous la signature de Jean Cocteau.

Autre exemple du genre, l'anecdote d'Alexandre Dumas père disant : « J'étais au lit avec la fièvre » et à qui son fils répond :

— Oui, je l'ai rencontrée dans l'escalier.

Eh bien! cette histoire on la trouve déjà dans Démétrius d'Alexandrie. Rien ne prouve d'ailleurs que l'anecdote attribuée à Dumas ait été inspirée par celle du philosophe péripatéticien. Il existe en effet quantité de perles (par exemple celle du *petit singe en baptiste*) qui ont été faites des dizaines de fois.

Les redites n'excluent pas cependant les emprunts et ceux-ci existent aujourd'hui, comme au temps où Feydeau (au fait, est-ce bien lui?) disait en parlant d'un de ses traits d'esprit :

— Il est de moi, mais pas pour longtemps.

J'ai ainsi trouvé, dans un journal belge, un mot de mon Jérôme de fils attribué à un petit Bruxellois. Après enquête, j'appris que mon confrère ne m'avait pas copié mais tenait ce mot d'un père accapareur qui l'avait présenté froidement comme étant de son fils. Car les parents aussi savent lire et certains n'hésitent pas à prêter à leurs rejetons des répliques cueillies ici ou là.

Comme disait ce milliardaire :

— Mon fils n'a pas besoin de faire des mots d'enfant, je suis bien assez riche pour lui en acheter.

Je ne garantis pas l'authenticité de cette histoire mais elle mérite d'être vraie. N'oublions pas d'ailleurs que bien des mots historiques n'ont jamais été prononcés. Ils ont été attribués *a posteriori*, quand ils n'ont pas été adoptés par tel roi, tel général ou tel homme politique qui n'avait pas dit mais aurait bien voulu dire : « Nous sommes ici par la force des Pyramides et nous n'en sortirons que par la route du fer... » ou quelque chose d'approchant.

Et maintenant, levant la main droite, et la gauche par-dessus le marché, j'affirme solennellement que tous les mots de mon fils Jérôme sont authentiques. Il en a assez fait pour que je n'aie pas besoin d'en acheter. Quant à ceux qui ne voudront pas me croire, ils n'ont qu'à refermer ce livre et à aller se faire cuire un œuf en haut de l'Acropole.

Manège à trois

Le premier mot de Jérôme a déjà paru dans un de mes précédents livres; je le rappellerai quand même ici. Cela se passait un jour où mon digne rejeton, alors âgé de quatre ans, avait été particulièrement assommant. Si bien que Jehanne (1) finit par lui dire :

– Si tu continues, les coups vont pleuvoir.
– Bon, dit Jérôme, je vais mettre mon imperméable.

Réponse somme toute parfaitement normale, comme beaucoup de réponses de gosses dont il est difficile de dire si elles sont dues à la naïveté ou à un excès de logique. Mais Jérôme a bien d'autres mots et aventures à son actif. A tel point que j'avais songé à en faire un livre pour lequel mon oncle Poil m'avait même suggéré un titre : *Manège à trois*. Mais voilà, les grands esprits se rencontrent et, entre-temps, M.B. Endrèbe eut la même idée et donna ce titre à trois nouvelles de William Irish.

Le mot « manège » est d'ailleurs un peu faible,

(1) Je sais que cela peut paraître invraisemblable d'avoir une famille qui, outre Jehanne (ma femme), compte un oncle Poil, une nièce Indiana et quelques autres noms aussi peu répandus, mais c'est comme ça et je n'y peux rien.

appliqué à Jérôme qui, jusqu'à six ans, a bien été un des plus affreux bambins que la terre ait portés. Le pire est qu'il avait un air angélique, de grands yeux bleus candides et qu'il était très aimable avec les visiteurs. De sorte que lorsque Jehanne ou moi commencions à nous plaindre de ses frasques, les gens hochaient la tête avec scepticisme.

Le seul avantage, du moins au début, c'est que nos amis étaient toujours prêts à se charger de lui. Hélas! ils ne recommençaient jamais.

L'un d'eux, Raymond Borel, poussa même l'imprudence jusqu'à donner à mon fils un rôle dans un roman-photos. C'est ainsi qu'un beau matin, Jérôme, son ours et leur metteur en scène partirent d'un pas fringant.

Le soir, c'est un Raymond épuisé et livide qui ramenait un Jérôme frais comme l'œil et très content de sa journée. Le tournage avait eu lieu dans un hôtel et notre cher petit s'était enfui une bonne douzaine de fois, visitant toutes les chambres les unes après les autres.

C'est ce jour-là aussi qu'au cours du déjeuner, pris au restaurant, il repéra un monsieur à la boutonnière ornée d'une large rosette de la Légion d'honneur. Il se leva et alla écraser un morceau de tomate sur le revers du monsieur, en disant :

– Tiens, ça t'en fera une plus grosse.

Vers la même époque, un autre ami l'emmena faire un tour dans le métro. Jérôme se mit aussitôt à chahuter, ce qui provoqua l'ire d'un monsieur assis en face.

– Reste tranquille, dit-il.

A l'appui de sa demande, il mit sous le nez de Jérôme sa carte de mutilé.

– Oh! la belle image, dit poliment mon rejeton.

Sur quoi, conquis, il demanda :

– Prends-moi sur tes genoux.

L'homme qui n'avait qu'une jambe hurla au sacri-lège et notre ami s'enfuit, entraînant Jérôme qui hurlait aussi :

– Je veux aller sur les genoux du monsieur, je veux aller sur les genoux du monsieur...

L'Affreux Jojo n'aurait pas fait mieux! A part ça, Jérôme, à quatre ans et demi, avait déjà sur le mariage des idées bien arrêtées. Un jour, ma nièce, Indiana (seize ans) qui habitait alors avec nous et qui était une grande admiratrice de *la Marquise des Anges*, le roman d'Anne et Serge Golon, lui dit :

– Toi, tu es Philippe du Plessis-Bellière, et moi Angélique; nous allons nous marier.

Et Jérôme de répondre dédaigneusement :

– Je veux bien coucher, mais pas me marier.

Dans la rue, Jérôme ne se conduisait pas mieux. J'ai déjà raconté comment il « maquereauta » (il n'y a pas d'autre mot) une vieille dame rencontrée dans un jardin public. Il lui sauta au cou en disant :

– T'es belle, donne-moi un baiser, t'es belle.

La dame ravie offrit un goûter somptueux; mais à la fin Jérôme, tel un danseur mondain, dit :

– Allez, donne mille francs, donne.

Jérôme avait alors trois ans et demi. L'année suivante, il s'intéressa aux demoiselles et un jour, voyant un couple s'embrasser dans la rue, il dit à Indiana :

– On devrait faire comme eux.

Indiana ayant vertueusement refusé, Jérôme ne se tint pas pour battu; il se dirigea vers le couple et dit au jeune homme :

– Tu me la donnes, ta fille?

Tout cela est peut-être amusant, mais les colères de Jérôme, elles, l'étaient beaucoup moins. D'autant qu'elles étaient très fréquentes. Comme il devait me le dire un jour :

– Moi, je n'aime que deux choses, faire des colères et l'Ovomaltine (1).

Le résultat c'est que la renommée de Jérôme s'étendait. Plus personne n'en voulait, à commencer par ma mère qui se souvenait avec horreur de la façon dont, chez l'épicier, il avait ouvert le robinet d'une barrique de vin. Parfois, cependant, nous réussissions à trouver, dans une région reculée, un home d'enfants que la réputation de Jérôme n'avait pas encore atteint et qui voulait bien de lui.

C'est dans l'un d'eux qu'il mit le comble à ses méfaits en dérobant une boîte de barbituriques dont il avala la moitié. Après quoi, telle une star en perdition, il passa trente-six heures dans le coma...

– S'il se réveille, nous dit l'interne de l'hôpital, il n'en restera aucune trace, mais nous ne pouvons absolument pas savoir s'il se réveillera.

Jérôme se réveilla et, l'année suivante, nous décidâmes de l'emmener en vacances avec nous. Pendant un mois, passé dans un charmant hôtel de la Roque-Gajac, en Dordogne, il fut littéralement infernal.

Comme Jehanne était plus sévère que moi, il me proposait :

– Pourquoi est-ce qu'on n'achète pas une autre maman ?

Bien sûr, de temps en temps, il daignait faire un mot. Ainsi un jour où, voyant des maisons détruites par un éboulement, il me dit :

– C'est mal élevé de casser les maisons comme ça.

_____

(1) Publicité tout à fait gratuite. Hélas!

Mais il faisait surtout caprice sur caprice et nous étions, Jehanne et moi, à la limite de la crise nerveuse, quand un soir deux musiciens de passage dînèrent à côté de nous.

– Si tu n'es pas sage, dit l'un d'eux à Jérôme, le Monsieur du Grenier viendra te chercher.

O stupeur! cette variante du classique croquemitaine fit de l'effet et, pendant le reste des vacances, Jérôme fut nettement plus supportable.

Il n'empêche que, même avec l'aide de Monsieur du Grenier, Indiana refusa d'habiter plus longtemps avec nous et émigra chez sa grand-mère de Toulouse. Nous engageâmes alors des demoiselles promeneuses qui ne tinrent le coup que parce qu'elles étaient six et venaient chacune un jour par semaine.

Une fois sur trois, Jérôme rentrait du jardin du Palais-Royal en hurlant de rage, sous prétexte que l'on avait refusé de céder à tel ou tel de ses caprices. Un jour, mais c'était encore au temps d'Indiana, il réussit même à s'enfuir du jardin et une dame le trouva se promenant tout seul dans la rue. Elle l'emmena dans le café-tabac voisin où elle demanda :

– Vous connaissez cet enfant?

Le patron connaissait Jérôme, mais il ne savait pas où il habitait.

– J'habite pas, disait mon rejeton qui finit cependant par proposer de donner son adresse en échange d'un apéritif.

Au moment où, de guerre lasse, on allait le servir, une dame entra et dit :

– Mais c'est le petit Jérôme.

Et Jérôme, furieux de ne pas avoir son apéritif, piqua une colère record.

Avec les femmes de ménage, il était heureusement plus gentil. Surtout une qui s'appelait Léone et dont l'opulente poitrine faisait son admiration. Au point qu'un jour, comme on parlait du soutien-gorge de Léone, il dit :

– Il n'y a pas de soutien-gorge pour Léone. Ils sont tous trop petits.

Mais Léone finit par nous quitter et fut remplacée par Teresa, une jeune Espagnole très efficace qui parvint, sinon à dompter complètement Jérôme, du moins à le neutraliser quelque peu.

Léone était partie pendant un séjour de Jérôme dans un nouveau home. A son retour, mon rejeton me demanda où était passée sa chère amie :

– Nous l'avons mangée, lui dis-je, persuadé qu'il ne me croirait pas.

Mais, sur certains plans, Jérôme était fort naïf et la chose lui parut tout à fait normale. Si bien qu'un jour il dit à Teresa :

– Quand vous serez grassouillette, on vous mangera. Vous comprenez, chez nous, on mange les femmes de ménage.

Puis, après un temps de réflexion, il ajouta :

– Peut-être qu'on ne vous mangera pas s'il y a d'autres gens qui ont besoin de femme de ménage.

Fort heureusement, Teresa ne nous quitta pas, mais elle se garda bien d'engraisser.

Peu à peu d'ailleurs, Jérôme s'attachait à elle, au point qu'il lui proposa de l'épouser.

– Monsieur, m'annonça Teresa, Jérôme et moi nous sommes fiancés.

Je ne l'entendis pas de cette oreille et je dis à Jérôme :

– Tu n'épouseras pas Teresa, elle est trop vieille et elle n'a pas assez d'argent.

La deuxième raison était, je le confesse, assez

14

vilaine, mais Jérôme ne répondit rien et regagna la cuisine. Soudain on entendit un hurlement et Teresa apparut, l'air horrifié :

– Vous ne savez pas ce que vient de me dire Jérôme ?

– Non.

– Il m'a dit : « Ne vous mariez pas, Teresa, attendez. Quand mon papa sera mort, je vous épouserai. »

★

J'ai beau n'avoir que trente-deux ans de plus que Jérôme et, en toute modestie, ne pas faire mon âge, mon affreux rejeton ne perd pas une occasion de me rappeler que je suis promis, avant lui, au cercueil. L'an dernier encore, il a déclaré d'un air rêveur :

– Mon papa va mourir avant moi... Quel dommage ! Qu'est-ce que je vais faire ? Ben, j'irai habiter chez d'autres gens.

Pour me consoler ma belle-sœur Françoise m'a cité Ratisbonne qui, dans une fable, rapportait ce dialogue certainement authentique :

– Papa, quel âge as-tu ?

– Trente ans et davantage.

– Trente ans ! Oh ! mais alors, il est fini ton âge !

De son côté, Raymond Borel m'a raconté que, lorsqu'il avait six ans, sa mère resta plusieurs semaines gravement malade. Il l'aimait beaucoup mais cela ne l'empêchait pas de lui dessiner de magnifiques corbillards et de les montrer en disant gentiment :

– Tiens, choisis celui que tu préfères pour ton enterrement.

Jérôme, lui, a fait pire puisqu'il a essayé d'empoisonner sa mère et j'avoue que, ce jour-là, nous avons eu bien du mal à faire nôtre la devise de Figaro : « Je me presse de rire de tout... »

Ma tendre épouse a toujours, près de son lit, une bouteille d'Evian (1) dont elle est seule à se servir. Un soir, elle trouva un drôle de goût à l'eau. Elle en but très peu et passa quand même une fort mauvaise nuit. Le lendemain, prise de soupçons, elle demanda à Jérôme :

– Tu n'as pas touché à la bouteille?

– Moi? dit notre rejeton, de son air le plus innocent.

Car, pour ce qui est de l'air innocent, le cher petit est plutôt doué. A deux ans et demi, il cacha le portefeuille de Jacqueline, notre soubrette du moment, et nia pendant plus d'une semaine. Si bien que l'on conclut à un pickpocket, jusqu'au jour où Jacqueline surprit Jérôme qui fouillait dans un sommier, en sortait un portefeuille, le contemplait d'un air satisfait et le remettait en place.

Mais je reviens à la bouteille. Comme pour le portefeuille, Jérôme niait. Jusqu'au moment où Jehanne déclara :

– Bon, je ne te ferai rien, mais dis-moi la vérité.

Rassuré, Jérôme plaça une chaise devant l'armoire à pharmacie :

– J'ai mis un papier sur la chaise, expliqua-t-il vertueusement.

Puis il montra comment il avait pris une boîte d'un médicament en poudre (dont on lui avait dit la veille : « Attention, c'est du poison ») et comment il en avait versé une partie dans la bouteille d'Evian.

– Et voilà, dit-il.

_____

(1) Publicité gratuite.

Jehanne et moi, nous nous regardâmes atterrés. Un fils assassin et qui plus est matricide, rien ne nous était épargné. Quant au mobile, il était simple :

– Hier, je ne t'aimais pas, dit Jérôme.

Il ne me restait plus qu'à lui faire la morale et à lui expliquer l'horreur de son geste. Eh bien! chose extraordinaire, il semble qu'il ait compris, car il n'a pas récidivé.

Bien sûr, il a depuis essayé deux ou trois fois de nous faire sauter en éteignant le fourneau à gaz, mais là l'intention était moins nette.

– Ecoute, lui dit Jehanne, c'est simple : je veux que tu répondes seulement à cette question : oui ou non, as-tu touché au fourneau à gaz de la cuisine?

– Puisque tu me fais choisir, dit Jérôme rasséréné, alors je te réponds « non ».

Il finit quand même par avouer, dès qu'on lui eut promis qu'il n'y aurait pas de représailles. Puis Jehanne essaya de lui expliquer les conséquences de son acte :

– Tu vois ça, dit-elle, si j'avais eu les jambes coupées. Après, il aurait fallu me pousser dans une petite voiture.

– Pourquoi est-ce qu'on t'aurait poussée? dit Jérôme, plus « Affreux Jojo » que jamais, on aurait pu te laisser.

Et pourtant Jérôme aime bien sa mère. Parfois, il me dit :

– Il faut faire attention à elle : elle est petite.

Car en définitive, il nous en veut de ne pas être grands. Il aimerait pouvoir nous protéger, même si ses méthodes sont un peu particulières... Enfin, tout ça ne l'empêcha pas de souhaiter à Jehanne une bonne fête des mères en disant :

– Tu es la plus belle des mamans... C'est mon papa qui dit ça. C'est gentil, hein?

Mais le jour où il nous étonna le plus, ce fut celui où il dit :

– Maman, si tu ne manges pas, tu deviendras pédéraste.

Le pire c'est que, quelque temps après, alors que je l'avais confié à Marc, mon coiffeur, il expliqua la chose à haute et intelligible voix :

– Je lui ai dit à ma mère que si elle ne mangeait pas, elle deviendrait pédéraste.

On n'en est pas encore revenu chez Claude Mazé!

Jérôme avait alors cinq ans et si ses colères étaient un peu moins fréquentes, c'est à Monsieur du Grenier que nous le devions. Bien sûr, la technique avait évolué, car Jérôme devenait très exigeant. Il ne voulait plus seulement entendre Monsieur du Grenier grogner derrière la porte, il voulait le voir. Il fallut donc déguiser l'ami Dorville avec un vieux manteau et une cagoule noire.

Jérôme hurla de terreur et resta sage pendant vingt-quatre heures, mais il n'était pas tellement dupe, car le lendemain, ayant décroché le téléphone et reconnaissant la voix de Dorville, il lui dit :

– Passe-moi Monsieur du Grenier.

Teresa adorait imiter Monsieur du Grenier : elle allait dans la pièce voisine et proférait d'horribles menaces qui mettaient Jérôme en joie, au point qu'un jour j'entendis ce dialogue :

– Teresa, allez chercher Monsieur du Grenier!

– Non, tu es trop vilain!

Vers cinq ans et demi, Jérôme commença à se rendre compte qu'il faisait des mots. Parfois, il venait me dire quelque chose, puis me conseillait :

– Tu devrais le raconter à tes amis, ça les fera rire.

Bien entendu, ce n'était pas drôle, car les mots d'enfants ne sont bons que s'ils sont spontanés. Un des meilleurs étant peut-être celui-ci : un soir, un journaliste dînait à la maison et Jérôme cherchait tous les prétextes pour ne pas aller se coucher :

– Attends, me dit-il, comme je l'emmenais de force, je veux faire un mot d'enfant.

Naturellement, il ne se rendit pas compte qu'en disant cela il venait d'en faire un et que, le lendemain, je le raconterais à tous mes amis. Je leur racontai aussi comment Jérôme avait demandé à Jehanne :

– Maman, si tu deviens sourde, est-ce que je serai quand même obligé de te dire « s'il te plaît »?

Ce qui était la preuve d'un bel esprit pratique!

Une autre fois je lui disais :

– Avant de manger la première cerise de l'année, il faut faire un vœu.

– Bon, répondit Jérôme, je fais vœu de manger la cerise.

Il a toujours eu des questions inattendues, car il réfléchit à un tas de problèmes. C'est ainsi qu'un jour, il me demanda tout de go :

– Qu'est-ce que vous avez fait des lits où vous couchiez quand vous n'étiez pas mariés?

A quelque temps de là, Jehanne le vit en train de griffonner sur un papier :

– Qu'est-ce que tu fais là? demanda-t-elle.

– J'écris une lettre à ma cousine Brigitte.

– Mais tu ne sais pas écrire.

– Ça n'a pas d'importance, puisque Brigitte ne sait pas lire.

D'autres mots étaient d'une facture plus classique, comme :

– Maman, je voudrais que tu m'achètes des poissons et je leur donnerai à manger dans leur petite cabane.

Jérôme était parfois très surprenant, ainsi le soir où sa tante Frède lui demanda s'il n'avait pas peur, tout seul, dans le noir, et où il répondit :

– Les hommes forts sont solitaires.

★

En approchant de six ans, Jérôme devenait moins infernal. Un de nos amis, René, le sortit plusieurs fois de suite. Cela commença par un film, mais comme ils étaient en avance, René dit :

– Allons voir l'arc de Triomphe.

Là, il se mit à expliquer à Jérôme ce qu'était le Soldat Inconnu. Mais soudain on entendit la petite voix de mon rejeton :

– J'en ai assez, j'aime mieux aller aux Folies-Bergère.

René refusa bien entendu les Folies-Bergère et, la semaine suivante, les deux copains allèrent au cirque. Lions, clowns, équilibristes, Jérôme considéra tout cela avec un intérêt relatif, puis arrivèrent des danseuses en tutu et, soudain très très intéressé, il demanda :

– On peut toucher ?

Mais la plus belle question, il la posa le jour où Jehanne l'emmena voir une exposition de peinture moderne. Ils venaient de faire le tour de la galerie, lorsqu'il demanda d'une voix claironnante :

– Maman, quand est-ce qu'on va voir les tableaux ?

Dans le genre vacherie, on n'aurait pas pu faire mieux !

Six ans, c'était l'âge de l'école. J'ai raconté, dans *la*

Foire aux cancres, comment Jérôme avait été chassé l'année précédente d'une école libre. Cette année-là, il alla à la communale du quartier et s'y plut beaucoup. Peut-être parce que sa maîtresse était assez pin-up ou peut-être parce que mon cher petit était déjà un laïque convaincu.

En tout cas, c'est là qu'il fit sa première perle scolaire. Comme son institutrice lui demandait ce qu'était un aéroplane, il répondit d'un air pincé :

– Je ne peux quand même pas connaître tous les animaux.

C'est vers la même époque que Jehanne lui expliqua que les baleineaux tètent leur mère comme les veaux tètent une vache.

– Non, répondit-il, ce n'est pas pareil. Les veaux, sous les vaches, ils tètent du lait. Mais les baleineaux, eux, c'est comme sous les voitures, ils tètent de l'huile.

Jérôme faisait cependant des progrès en lecture et en écriture. Hélas! au bout de deux mois, il tomba malade : primo-infection. Ce qui fit dire à la femme de ménage de notre amie Janou :

– On lui a passé les bassines du coq.

Je ne sais pas qui les lui avait passées, mais je sais qu'il y a un imprudent de pédiatre qui eut bien tort de nous déconseiller le B.C.G. Et nous, nous avons été des imbéciles de parents de l'écouter!

Jérôme ne perdit pas cependant son sens de l'humour noir. Un soir, Jehanne entrait dans sa chambre :

– Jérôme! appela-t-elle.

Comme il ne répondait pas, elle s'approcha du lit et vit un Jérôme immobile. Elle le tâta, il était tout raide. Elle poussa un hurlement, tandis que Jérôme, ravi de sa plaisanterie, demandait d'un air badin :

– Qu'est-ce qu'il y a, maman, tu m'appelles?

La gamme des radios, tubages et autres prises de sang que l'on infligeait à Jérôme était encore prétexte pour lui à essayer d'affoler sa mère :

– J'ai vu des petites bêtes toutes noires, dans mon tubage, expliqua-t-il. Il y en avait une très grosse : ça devait être le chef des microbes.

Et pour se changer les idées, pendant le temps qu'il passa à l'hôpital des Enfants malades, il me réclamait :

– Des livres avec plein d'accidents.

Il faudra d'ailleurs que je présente Jérôme à cette petite Evelyne de cinq ans qui a dit récemment, en parlant d'un carrefour tragiquement illustré par plusieurs collisions d'automobiles :

– Quand j'aurai de l'argent, j'habiterai là, parce que je verrai beaucoup d'accidents.

Une autre petite fille qui aurait plu à Jérôme, c'est une jeune Suzon dont parle Jules Lemaitre. Elle avait une mère qui lui posait sans arrêt des problèmes du genre : « Tu as six pommes, tu en manges deux, combien en reste-t-il ? »

– Ecoute, maman, dit un jour Suzon, si j'ai cinq z'yeux et que tu m'en crèves six, combien qu'i m'en reste ?

Jérôme, lui, m'a demandé, après plusieurs devinettes posées par moi :

– Trois tubages et deux cutis, ça fait combien ?

Cela se passait dans un préventorium de l'Ain où il partit au bout d'un mois. Il devait d'ailleurs y être admirablement soigné. En outre, chaque mois, les médecins prenaient la peine non seulement de nous envoyer un bulletin de santé, mais de nous recevoir pour nous expliquer comment évoluait l'état de santé de Jérôme. Cette sollicitude vis-à-vis des parents était un heureux contraste avec l'hôpital des Enfants malades où Jérôme était très bien soigné, mais où c'était la croix et la baleinière, comme on dit dans la marine, pour obtenir des renseignements sur son état.

Pourtant, au début, Jérôme n'était pas décidé à rester au préventorium. Jehanne lui ayant dit : « Si tu te conduis comme un bébé, on ne te gardera pas », il joua les demeurés pendant une semaine. Puis voyant que cela ne prenait pas et trouvant l'ambiance du préventorium somme toute agréable, il réunit une conférence de presse qui groupait son infirmière, sa monitrice et son institutrice :

– Ici, leur dit-il, j'ai trouvé ma raison.

Elles n'en sont pas encore revenues.

– Il a des répliques formidables, devait me dire la monitrice.

Malheureusement elle avait autre chose à faire qu'à noter les mots de Jérôme. D'ailleurs nous avions les visites mensuelles et, de temps en temps, j'ajoutais quelque chose à ma collection.

– Jérôme, dis-je un jour, mais c'était encore à l'hôpital, tu es un drôle de numéro.

– Oui, le vingt-deux.

En revanche, c'est au préventorium, alors que l'on venait de lui acheter un chapeau, qu'il demanda après avoir regardé le numéro à l'intérieur :

– Numéro quatre, c'est parce que j'ai quatre têtes?

Une autre fois, comme nous passions près de l'église voisine, il me dit :

– L'église, c'est magique parce que le curé habite dedans.

La Foire aux cancres dont ses mots comptaient parmi les plus beaux fleurons n'intéressa guère Jérôme, sauf quand je lui annonçai qu'avec l'argent gagné j'allais acheter une maison de campagne. Il me déclara alors qu'il voulait aussi un tracteur et des vaches.

— La maison sera à toi, mais les vaches et le tracteur seront à moi. Tu le peindras pointillé orange... Maman fera les choses faciles : elle moulera le foin et elle lavera les vaches avec un jet d'eau.

J'essayai d'expliquer que si la vente de *la Foire aux cancres* me permettait d'acheter une maison de campagne, elle ne me permettait pas d'acquérir en plus vaches et tracteur.

— C'est de ta faute, me dit Jérôme, tu n'avais qu'à faire un livre plus gros... Cent fois cent pages.

Puis après un temps de réflexion :

— Tu pourrais peut-être faire aussi un livre sur les maladies des enfants.

C'est lors de là même visite qu'il eut une étonnante conversation avec un chien :

— Comment tu t'appelles? lui dit-il... Je vais te donner un gâteau et tu en porteras un peu à tes petits camarades... Tu diras à ta mère que je t'ai nourri... Tu n'oublieras pas de le lui dire, hein ?

Et cela continua sur ce thème pendant un quart d'heure, mais en mauvais historiographe je n'ai pas noté le reste.

De tous les mots de Jérôme, il en est un cependant qui m'a particulièrement flatté. Lors d'un de nos derniers voyages dans l'Ain, j'avais attrapé une angine et, le deuxième jour, Jehanne alla seule au préventorium.

— C'est ennuyeux que mon papa soit malade, dit Jérôme, parce que c'est le chef des écrivains et je ne vois pas qui pourrait faire le travail à sa place.

Sur quoi, il ajouta :

— Tu peux toujours essayer de lui donner un

bouillon de légumes bien chaud. Tu verras bien ce que ça fera...

Un an, c'est long, mais à l'heure où je rédige ces lignes, je sais que Jérôme est à quelques semaines de son retour. C'est un peu un autre fils qui nous revient et qu'il nous faudra découvrir, mais il est sûr qu'il a grandi en taille, en sagesse et même en savoir. Car s'il ne lit pas encore très bien, il nous écrit en revanche des lettres dont l'écriture et l'orthographe s'améliorent assez régulièrement.

Ainsi le manège à trois va être reconstitué, mais il ne tardera pas à devenir un manège à quatre. En effet ma belle-sœur Françoise se propose de nous confier son fils Vincent qui jusqu'ici était élevé à la campagne. Il a quatre ans et il a dit l'autre jour à sa sœur, Indiana :

– Je crois que je suis un sale gosse, mais avec Jean-Charles, je ne ferai pas la vie.

Acceptons-en l'augure.

Brigitte et compagnie

J'ai deux frères, l'un, Bernard, est doyen de la faculté des sciences de Montpellier, l'autre, Philippe, fait dans les textiles. C'est un des meilleurs bridgeurs de la région bordelaise et surtout le père de Brigitte.

Si Odile et Xavier, les enfants de mon frère Bernard, sont trop jeunes pour faire des mots, Brigitte, elle, ne s'en prive pas. Cette petite bonne femme de six ans est très cabocharde, bougonne même parfois, et elle n'a aucun respect pour les adultes. Ne m'appelle-t-elle pas « vieux gazier »? Elle est aussi très douée pour la musique, les études et... l'humour.

Ma mère qui occupe une partie de la maison de mon frère, à Gradignan, est en adoration devant Brigitte. C'est avec joie qu'elle a accepté de devenir l'historiographe de sa petite-fille. J'ai ainsi reçu une bonne cinquantaine de mots sortis de la bouche de ladite Brigitte.

Bien sûr, j'ai fait un choix. Il y a des répliques qui n'auraient été amusantes qu'après de trop longues explications; d'autres qui, à mon avis, ne méritaient pas de passer à la postérité.

Brigitte a, comme dit ma mère, « son petit caractère ».

– Si j'étais toi, lui disait un jour celle-ci, je ne ferais pas ça comme ça...

– Si tu étais moi, répondit Brigitte, tu ferais comme moi.

Une autre fois, Brigitte était occupée à différents rangements, quand sa grand-mère entra dans sa chambre.

– Je finis quelque chose, dit-elle.

Puis très femme du monde, elle approcha deux fauteuils et dit :

– Maintenant, bavardons.

Brigitte aimerait tout faire comme les grandes personnes. Un jour, voyant sa grand-mère envoyer un chèque, elle en prépara un de dix francs (anciens ou nouveaux, l'histoire ne le dit pas) destiné à un monsieur.

– Il faut mettre le motif de l'envoi, dit sa grand-mère.

Brigitte s'exécuta et écrivit : « Je vous envoie ce chèque parce que je vous aime. »

Alors que son Jérôme de cousin ne sait même pas jouer à la bataille, Brigitte, elle, apprend le bridge depuis l'âge de cinq ans. Mais, chaque fois, elle met une condition à sa participation :

– Je ne veux pas être le mort.

Très avancée intellectuellement, Brigitte reste heureusement fort naïve. C'est ainsi qu'elle croit que les aviateurs habitent au ciel.

– Leurs enfants ont de la chance, dit-elle, ils sont bien placés pour avoir des cadeaux du Père Noël.

Quant à ses projets d'avenir, ils sont d'ordre matrimonial. Elle veut épouser un Noir.

– Parce que, dit-elle, les bébés noirs sont mignons.

En attendant, comme toutes les petites filles, Brigitte doit aller se coucher, même quand elle a encore envie de s'amuser. Cependant, elle ne comprend pas que les grandes personnes l'accompagnent.

– Je sais très bien me coucher seule, dit-elle, un soir, à sa grand-mère. On ne va pas me déshabiller jusqu'à vingt ans.

Brigitte a aussi un esprit très logique.

– Qu'est-ce qu'on fait pour arrêter une auto? lui demandait un jour son père.

– On s'arrête de conduire, répondit-elle.

Un autre jour, elle passait à côté d'un camion. Un peu étonnée par ces énormes roues, elle se mit à côté, puis dit à sa grand-mère :

– Ces pneus ils doivent avoir cinq ans. Ils sont de la même taille que moi.

Ma mère n'oublie pas que Brigitte doit devenir une jeune fille accomplie. Comme mon frère a parfois le juron facile, elle crut bon d'expliquer à Brigitte que si les messieurs disent des gros mots, les petites filles, elles, ne doivent pas en dire.

– Les grand-mères non plus, répondit Brigitte.

Je terminerai par une dernière réplique qui est ma préférée, peut-être parce qu'elle rappelle un peu celles de Jérôme. Brigitte avait alors quatre ans et demi et sa mère venait de lui dire que leur voisine s'était cassé la jambe.

– Une ambulance va venir la chercher pour la conduire à l'hôpital, ajouta-t-elle.

– Une ambulance? dit Brigitte. Elle ne pouvait pas y aller à cloche-pied?

★

Si l'on n'avait pas déjà fait un film sur Zazie, il faudrait confier le rôle à Dominique, la fille de ma belle-sœur Inès.

Cette petite Toulousaine de douze ans a peut-être tort de vouloir faire carrière dans le cinéma et de se prendre déjà pour Brigitte Bardot, mais je la trouve tellement drôle que je lui pardonnerais n'importe quoi. Ce n'est pas d'elle que Sophie Arnould aurait pu dire :

– Grand événement, il vient de faire un mot. Le pauvre, il y avait si longtemps qu'il en avait envie!

Car des mots Dominique en fait comme qui respire et il ferait beau voir de l'empêcher de répliquer.

« Les enfants ne parlent qu'à leur tour et leur tour ne vient jamais », cet aphorisme que je répète parfois ne l'impressionne pas. Alors, ma foi, autant l'écouter parler.

L'été dernier, à Biarritz, Jehanne lui avait offert un maillot-brassière.

– Avec ce maillot, dit-elle, on me voit les fossettes des fesses... mais ça, c'est tout le charme de la femme.

Un autre jour, elle dit à sa tante Frède :

– Tu te rends compte. Ma grand-mère vient de me dire qu'elle était comtesse. Moi, je ne le savais pas : je la prenais pour une femme normale.

Des mots aux perles, il n'y a qu'un pas et elle le franchit allégrement.

– Papy, dit-elle à son beau-père, il faut laisser la voiture à maman qui est très fatiguée parce qu'elle souffre d'un homme incarné.

Elle parle de son guêpier (au lieu de sa guêpière) de sa peau qui est désertée (au lieu de déshydratée) et de slaloms (au lieu de slogans). Elle annonce :

– Pour la fête des pères, on a acheté des mufles à Papy (au lieu de moufles, bien entendu).

Une autre fois, sa mère la charge de téléphoner au docteur de la famille qui vient de marier sa fille :

– Dis-lui que j'enverrai un cadeau.

Mais dans la bouche de Dominique, cela devient :

– Allô, docteur, maman est malade, mais n'ayez pas peur, quand elle sera guérie, elle vous passera quelque chose.

★

Philippe, frère de Dominique, est un blondinet de neuf ans qui ressemble un peu à son cousin Jérôme et qui a, lui aussi, quelques mots à son actif. A commencer par Perpignan qu'il place dans les Pyrénées horizontales.

Une autre fois, on parlait devant lui d'un journaliste aux idées très à gauche qui était fiancé avec une journaliste de *l'Aurore*, journal qui, comme chacun sait, se situe plutôt à droite.

– Elle travaille à *l'Aurore*, dit quelqu'un, tiens, c'est étonnant!

– Ben quoi, s'écria Philippe, elle peut bien se lever de bonne heure.

Un soir, à Biarritz, ses parents annoncèrent qu'ils allaient faire un tour au bowling.

– Comment, dit Philippe, vous allez prendre l'avion?

Un autre jour, sa sœur l'avait taquiné et il lui

donna un coup sur la tête, en disant joyeusement :

— Tout ça qui tombe du ciel, c'est béni.

Récemment, on parlait devant lui de recevoir des amis à la bonne franquette.

— Moi, je n'aime pas la franquette, dit-il.

Comme on lui expliquait que la franquette ne se mangeait pas, il s'écria :

— Mais alors c'est une perle. Il faut vite l'envoyer à Jean-Charles : il va me faire un cadeau.

Bien sûr, Philippe a aussi quelques méfaits à son actif. Ainsi le jour où il annonça à sa mère qu'il allait se suicider. Celle-ci n'y prit pas garde jusqu'au moment où, entrant dans la chambre de Philippe, elle la trouva vide de tout occupant. Tandis que, devant la fenêtre ouverte, il y avait une chaise...

Que l'on se rassure : Philippe ne s'était pas jeté du cinquième étage, il était caché sous le lit.

★

Depuis sa naissance, Jérôme n'a guère eu l'occasion de rencontrer ni Brigitte qui vit près de Bordeaux ni Dominique et Philippe qui jusqu'ici habitaient Toulouse. L'an dernier, ses meilleurs amis étaient Pascal et Christiane, les enfants de la concierge, deux délurés mais dont je n'ai pas noté les mots. En revanche, la brune Agnès, la fille de notre amie et voisine Pierrette, figure sur mes carnets. Elle devait avoir quelque chose comme neuf ans quand elle promit à Jérôme un album de coloriages.

— Qu'est-ce que tu attends pour le donner? lui demanda sa mère en s'apercevant un jour que la promesse n'était pas tenue.

– Tu comprends, maman, répondit Agnès, il faut savoir faire attendre les hommes.

C'est la même Agnès qui, la première fois qu'elle alla toute seule aux sports d'hiver, écrivit à sa mère :

Chère maman, ici, on est obligé d'écrire à ses parents. Je t'embrasse bien fort.

Dernier mot, celui-là tout récent. Agnès, voyant un groupe d'agents de police, dit à sa mère :

– Oh! là, là, regarde ces feuilles de salade.

– Quoi?

– Ben oui, on doit bien les appeler comme ça puisqu'ils voyagent dans les paniers à salade.

★

Si, en dehors de Jérôme, je devais décerner une palme de l'humour noir, je crois qu'elle irait à Inès. Cette brunette, solide comme un pilier de rugby, fait en effet ma joie. Je dois avoir déjà raconté qu'à quatre ans son gag favori était d'aller embrasser les prêtres, en leur criant :

– Bonjour, papa.

Elle a en réalité un père qu'elle adore. Celui-ci, pendant un certain nombre d'années, fut un chaud partisan de la dive bouteille. Jusqu'au jour où, avec l'aide des Alcooliques Anonymes, il se désintoxiqua complètement. Cette preuve de volonté fait, à juste titre, l'admiration d'Inès. C'est pourquoi elle expliqua à sa mère ce qu'elle répondait, quand on lui demandait en classe la profession de son père :

– Je dis qu'il est journaliste, mais j'ajoute : c'est un ancien buveur.

En revanche, elle ne fait pas comme cette autre petite fille qui inscrivit sur un questionnaire : *Profession de la mère : néante.*

Inutile de dire qu'Inès et Jérôme s'entendent comme larrons en foire, sauf lorsque, sous prétexte qu'elle a deux ans de plus, elle veut le traiter comme son bébé. Il n'y a cependant aucune idylle entre eux, car Inès a d'autres ambitions. Elle a expliqué à sa mère :

– Quand je serai grande, j'épouserai un vieux savant très riche et très cruel.

Parfois aussi elle pose des questions plutôt saugrenues. Un jour, par exemple, elle demanda à sa mère :

– Comment s'appellent les gens qui tuent les enfants ?

– Des infanticides.

– Et les gens qui tuent les monstres ?

– Je ne sais pas...

– En tout cas, qu'est-ce qu'ils doivent gagner comme argent !

Une autre fois, apprenant que son arrière-grand-père avait été immergé, elle demanda :

– Est-ce qu'il vogue toujours ?

Mais la plus belle histoire d'Inès c'est peut-être celle-ci. Un soir, elle rentra chez elle et annonça d'un air triomphant :

– La maîtresse est très contente de moi.

Comme on lui demandait des explications, elle précisa :

– Oui, elle a dit d'une de mes camarades : « Celle-là, elle est infernale : j'aime encore mieux Inès ! »

Histoire que l'on peut rapprocher de celle de la petite fille qui annonça à sa mère :

– Aujourd'hui, c'est moi qui ai donné la meilleure réponse en classe. J'ai dit que les perroquets avaient trois pattes.

– Ils n'en ont que deux ! s'écria la mère.

– Oui, mais les autres avaient dit quatre...

Inès a de qui tenir. Sa tante Huguette avait neuf ans quand son père fut nommé ambassadeur en Suède. Toute la famille s'envola pour Stockholm, habillée comme des explorateurs en route pour le pôle Nord, et débarqua par un soleil radieux au milieu des rires des Suédois.

La petite Huguette fut si vexée qu'elle décida de prendre sa revanche. Un an après, elle était championne de patinage, devançant les Suédoises de son âge. Cela lui valut d'être reçue par le roi Gustave V qui avait l'habitude de féliciter les jeunes championnes.

Bien entendu, l'ambassadeur et sa femme avaient appris à Huguette l'art de faire une révérence, mais la petite fille ne devait sans doute pas trouver la chose assez démocratique car, arrivée devant Gustave V, elle se contenta de tendre la main, en disant :

— Bonjour, roi.

Saint Jean Bouche d'Or

« Il y a des bêtises qu'un homme d'esprit achète-rait. » La phrase n'est pas de Voltaire, comme je l'ai écrit dans *la Foire aux cancres* (1), mais de son ami Claude Henri de Fusée, abbé de Voisenon. Celui-ci fut d'ailleurs un enfant prodige. Il avait à peine onze ans quand il adressa une épître à Voltaire. La réponse qu'il reçut l'encouragea et il récidiva; si bien que Voltaire lui écrivit : *Vous aimez les vers; je vous le prédis, vous en ferez, et de charmants; soyez mon élève et venez me voir.*

Bien sûr, il faut se méfier des enfants prodiges, d'autant que souvent tous les prodiges viennent des parents. Mais il y a des explications qui naturelle-ment se trouvent plus du côté de Mozart que de celle que mon ami Noctuel avait surnommée « la petite poussée ».

Même les vrais enfants précoces ne plaisent pas à tout le monde. Pic de la Mirandole qui, à dix ans,

---

(1) Dans le même livre, j'ai aussi appelé le comte de Tournon « de Simione » au lieu de « Simiane » et fait dire à Cicéron : « Usque tandem, Catilina, abutere patentiam nostram ? » au lieu de : « Quousque tandem abutere, Catilina, patientia nostra ? » Mais comme disait l'autre : « Il n'y a que ceux qui ne font rien qui ne se trompent pas! »
Je n'en remercie pas moins les différents lecteurs qui m'ont signalé ces erreurs.

aurait pu devenir un champion du *Quitte ou double* ou de *l'Homme du xxᵉ siècle*, avait aussi le sens de la repartie. Un vieux monsieur lui disait un jour :

– Les enfants trop précoces deviennent de plus en plus stupides, au fur et à mesure qu'ils avancent en âge.

– Ah! répondit le jeune garçon, comme vous deviez avoir d'esprit au temps de votre enfance!

Il n'est pas mauvais que les adultes se fassent de temps en temps clouer le bec par les enfants. Philippe Hériat a raconté, dans *Constellation*, l'histoire d'un vieux magistrat qui était la statue même de la solennité. Il avait un petit-fils éveillé, turbulent, toujours chantant, mais paresseux : à sept ans, il trébuchait encore sur sa table de multiplication (1), ce qui mettait ses père et mère au désespoir.

A bout de punitions, ils décidèrent de faire comparaître ce mauvais enfant devant le redoutable grand-père. Celui-ci, assis dans son fauteuil, fit solennellement approcher le coupable et, de sa voix des grands jours, tonna :

– Tu fais le désespoir de ta famille! Tu n'es plus mon petit-fils! Tu n'es qu'un âne et tu ne seras jamais qu'un âne!

Ainsi pendant un quart d'heure.

L'enfant écouta cette diatribe avec une attention dont les parents auguraient le meilleur résultat et, quand ce fut fini, il s'écria :

– Oui! Mais moi, au moins, j' suis gai!

Mot qui, s'il le connaît, doit plaire à André Maurois. N'a-t-il pas écrit :

– Avant six ans et après soixante-dix ans : seuls

_____

(1) Comme si, à sept ans, ce n'était pas non seulement normal mais souhaitable!

âges où l'homme a le droit d'être naturel. Le cynisme des vieillards est exquis comme la franchise des enfants.

L'ennui c'est que la vérité qui sort de la bouche des enfants n'est pas toujours jugée exquise par les victimes. Je ne sais pas, par exemple, comment a réagi le vieux colonel qui faisait sauter sur ses genoux le petit Maurice Donnay.

– Tu es content? Ça t'amuse? lui demanda-t-il, au bout d'un moment.

– Oui, je suis content, répondit l'enfant, mais j'aimerais mieux être sur un vrai âne.

Gaffe moins gênante quand même que celle de cette petite fille dont j'ai oublié le nom (1).

– Tu sais, disait-elle à sa tante, maintenant, quand on m'embrasse, je n'essuie plus, je laisse sécher!

Ou de celle de cette autre petite fille à qui une tante très avare avait offert une poupée manifestement achetée au rabais.

– Merci beaucoup, ma tante, dit la nièce.

– Ça n'en vaut pas la peine, ma chérie.

– Je sais bien, ma tante, mais maman m'a dit que je devais quand même te dire merci.

Les enfants sont sans pitié pour les gens âgés. Je pense à ce petit garçon que sa mère, après lui avoir fait mille recommandations, emmena en visite chez une ancienne actrice particulièrement décrépite.

– Comme c'est gentil, dit celle-ci, de venir voir une pauvre vieille qui a été jolie autrefois, mais qui ne l'est plus maintenant.

Le gosse se tourna alors vers sa mère et dit :

– Tu vois, elle le sait qu'elle est moche!

---

(1) Le fait que bon nombre de mots cités dans ce livre ne comportent pas le nom de leur auteur ne signifie rien quant à leur authenticité. Simplement ce nom n'est pas parvenu jusqu'à moi ou bien je l'ai oublié, ce dont je prie les auteurs de m'excuser.

Heureusement, toutes les gaffes ne sont pas aussi désagréables. Ainsi celle de ce petit garçon qui considéra longuement le monocle d'un monsieur avant de demander très poliment :

– Pardon, monsieur, quand vous saurez avec un œil, est-ce que vous achèterez des lunettes?

Parfois les meilleures intentions du monde n'empêchent pas les gaffes. Un petit Jean-Paul déjeunait un jour avec sa grand-mère et celle-ci voulait le servir le premier :

– Oh! non, dit-il, les vieillards d'abord.

Les parents sont rarement épargnés. Cette jeune Nathalie de six ans regardait sa mère en train de se maquiller.

– Maman, demanda-t-elle, à quel âge est-ce que je pourrai me mettre des choses sur la figure au lieu de me débarbouiller?

On pourrait citer vingt exemples de ce genre dont les fausses dents, les perruques ou les cheveux rares sont l'occasion. Je préfère des histoires plus morales comme celle de ce père qui disait un jour à son fils :

– Mon garçon, tu ne fais rien à l'école. Moi, quand j'avais ton âge...

Alors, le fils, ironique :

– Papa, fais attention, tu vas encore faire rire bonne-maman.

Les parents ont tort en effet de se vanter devant leurs enfants. Ou alors qu'ils ne s'en prennent qu'à eux s'ils provoquent une réflexion désagréable. Une mésaventure de ce genre arriva à un père qui racontait à son fils ses exploits durant la dernière guerre. Quand il eut fini, le gosse marmonna :

– Je me demande bien pourquoi on a eu besoin de tous les autres soldats!

Car les enfants sont rarement dupes. Il arrive

même que leurs gaffes soient volontaires. Je me souviens, à sept ans, d'avoir dit devant une vendeuse qui m'agaçait :

– Oh! maman, est-ce qu'elle est malade, la dame? Elle a les ongles tout rouges.

Cette histoire personnelle m'en rappelle une autre plus récente dont l'héroïne était une jeune Catherine de sept ans. Elle se trouvait chez le tripier avec sa mère.

– Je voudrais cent francs de foie pour mon chat, dit celle-ci.

Catherine qui venait d'apercevoir une mouche ajouta d'un air sévère et pour la plus grande confusion du tripier :

– Et moi cent francs de mouches.

Les gosses vont parfois plus loin et certains pratiquent même le chantage. Ainsi cette petite Ginette qui sortait souvent avec un aïeul style Don Juan qui ne dételle pas.

– Si tu ne m'achètes pas de bonbons, lui disait-elle, je t'appellerai grand-père devant tout le monde.

Un excès de bonne volonté peut aboutir à une gaffe. Ce fut le cas pour une petite fille qu'élevait la duchesse de Nemours. Elle avait huit ans quand elle dit à sa protectrice :

– Madame, je vous suis tellement reconnaissante de vos bontés que je dis partout que je suis votre fille. Oh! ne vous fâchez pas, je n'aurais pas l'audace de dire que je suis votre enfant légitime, je dis que je suis votre bâtarde.

Certains jeux aussi peuvent tourner à la catastrophe. Ainsi celui-ci inventé par ce petit garçon qui dit à sa mère :

– J'ai joué au facteur, j'ai mis des lettres dans toutes les boîtes.

– Très bien, mon chéri... mais quelles lettres?

– Celles de ton secrétaire, attachées avec un ruban rose.

Ce qui vaut la naïveté de cette petite fille que l'on avait chargée de poster des lettres et qui garda pour elle l'argent des timbres, en expliquant :

– Je me suis débrouillée : j'ai mis les lettres dans la boîte à un moment où personne ne regardait.

★

La naïveté des enfants n'aboutit pas toujours à des catastrophes et on peut citer un tas d'histoires charmantes, en particulier sur des petits citadins découvrant la campagne.

Encore faut-il se méfier, car on leur prête facilement des mots qui sont en réalité de Jules Renard ou de tel ou tel autre humoriste. Certes, un enfant peut redire en toute naïveté ce qu'un humoriste a inventé par ailleurs, mais je ne suis pas sûr qu'un gosse ait jamais déclaré en parlant des framboises :

– Regarde ces cerises qui ont la chair de poule.

En revanche, je suis sûr de l'authenticité de la réflexion de la petite Michèle qui, pendant la guerre, se trouvait pour la première fois à la campagne. Dans l'écurie, sa mère lui montra les vaches et lui expliqua qu'elles donnaient du bon lait :

– Mais où sont celles qui ont du lait écrémé? demanda Michèle.

Mot à rapprocher de celui, vieux d'un siècle, que rapporte Arthur Murcier (1). Une petite fille se

_____

(1) Auteur d'un « Recueil d'amusettes vieilles et nouvelles », paru en 1870, sous le titre *Mosaïque*. C'est aussi le grand-père de la femme d'un cousin de ma mère, donc pour moi une espèce d'oncle par alliance.

trouvait, elle aussi, pour la première fois, à la campagne. Sa mère, comme celle de Michèle, lui montra des vaches et expliqua qu'elles donnaient du lait.

– Et la noire, là-bas, demanda la petite fille, c'est celle qui donne le café?

Tandis qu'une vache blanche et noire fit dire à une autre petite fille :

– Tiens, une vache raccommodée!

Un petit garçon qui, lui, voyait une fermière appeler ses poulets : « Petits, petits... », demanda :

– Et les gros? Ils n'ont rien à manger?

Les enfants qui n'ont pas la chance d'aller à la campagne peuvent découvrir les animaux grâce à la télévision. La preuve cette histoire qu'une lectrice a envoyée à *Elle*. On présentait *la Piste aux étoiles* et un dompteur venait de mettre sa tête dans la gueule d'un lion.

– Mon Dieu, quelle horreur! s'écria la mère.

– Mais non, maman, dit sa fille, ce n'est pas sale du tout la gueule d'un lion.

Entre parenthèses, on a dit beaucoup de mal de la télévision pour les enfants. A mon avis, c'est moins mauvais pour les yeux que les bouquins lus à la lueur d'une bougie. Et puis la télévision permet de découvrir que la vie ce n'est pas seulement le petit univers familial, les disputes avec les voisins, l'héritage de la tante Angèle... Sans compter que, pour se mettre à l'unisson, les parents sont obligés d'évoluer, ce qui souvent n'est pas un mal.

Naturellement la télévision à haute dose est néfaste; surtout si elle empêche les gosses de lire, de dessiner, d'aller se promener. En revanche, elle est excellente si elle leur donne envie de découvrir certaines choses, par exemple le zoo où ils voient de près les animaux présentés sur leur petit écran.

Déjà avertis, ils ne diront pas naïvement comme cette petite fille qui voyait pour la première fois des crocodiles :

– On les nourrit trop, ici, les lézards!

Mais la plus jolie histoire de zoo a pour héros un jeune Patrick. Il considérait avec ravissement les grimaces d'un chimpanzé, jusqu'au moment où celui-ci en eut assez et cessa de faire... le singe. Alors Patrick dit poliment :

– Encore, monsieur.

Une petite fille qui, elle, avait été au Jardin des Plantes fut séduite par les tortues; le lendemain, elle demanda à son père :

– Dis, achète-moi une tortue, mais pas comme celles que j'ai vues hier, une avec tête.

Ce qui me rappelle cette description de la tortue donnée par un élève : *Une bête qui a des carreaux sur le dos et qui rentre sa tête dans sa bouche.*

On n'en finirait pas de citer des mots d'enfants sur les animaux. Celui de ce Joël de six ans, par exemple, qui disait :

– Je sais pourquoi les poissons ne parlent pas. C'est pour qu'ils n'avalent pas d'eau quand ils ouvrent la bouche.

Tandis qu'un autre petit garçon qui avait vu une tanche, au milieu des poissons rouges, s'écriait :

– Oh! un poisson tout nu.

Mais le plus joli mot est peut-être celui de ce moutard demandant à sa mère :

– Maman, un chien policier qui vole un saucisson, est-ce qu'il peut encore conserver son nom?

Il était plus facile de lui répondre qu'à cette petite Autrichienne de six ans, arrivée en France avec son chien et qui demanda à sa tante :

– Est-ce que tu crois que mon chien comprend ce que lui disent les chiens français?

★

Le firmament est bien entendu un sujet d'étonnement pour les enfants. Que de questions à poser!

Dany Robin venait d'expliquer ce qu'était la Lune à sa fille Frédérique, alors âgée de quatre ans. Celle-ci écouta attentivement et, montrant les étoiles, demanda :

– Autour de la Lune, maman, qu'est-ce que c'est toutes ces petites lunettes?

Une Marie-Christine de six ans demanda à sa grand-mère :

– Dis, les étoiles, si elles sont jaunes, et si elles brillent autant, c'est parce que les petits anges les astiquent?

Tandis qu'un jeune garçon, retour de l'école, annonçait à sa mère :

– Tu sais, l'instituteur nous a dit qu'on connaît plein d'étoiles et qu'on a même trouvé comment elles s'appelaient!

Quant à savoir de quelle manière on trouve ces étoiles, voici ce qu'a écrit un élève à ce sujet : *On découvre chaque jour des nouvelles planètes, en éclairant vigoureusement les nuages.*

Le Soleil est découvert depuis longtemps, mais l'aurore est parfois une surprise pour les enfants.

– Qu'est-ce que c'est? demandait une Caroline de quatre ans.

– C'est le Soleil qui se lève.

– Pourquoi il a une chemise de nuit rose?

Quant au zodiaque, si l'on en croit un petit Américain, c'est *le zoo du ciel où vont, après leur mort, les lions, les béliers, les vierges et autres animaux.*

Tandis que le Soleil est *une boule de matière plastique qui s'allume le jour et qui s'éteint la nuit*.

Un autre petit Américain, voyant pour la première fois un arc-en-ciel, demanda :

– Papa, c'est de la publicité pour quoi?

Ce qui me rappelle un mot de Philippe (cinq ans) fils de mon ami Christian Nohel. Il se promenait dans la campagne, avec sa mère, quand soudain il dit :

– Je voudrais planter un grand poteau et en haut j'écrirai « Christian Nohel ». Comme ça, ça ferait de la publicité à papa.

Le poteau ne fut jamais planté, mais Philippe aura quand même fait de la publicité à son père puisque son mot est publié ici.

Les enfants se suivent et ne se ressemblent pas. Un autre petit garçon disait à ses parents :

– Je voudrais que toi, papa, tu aies autant de billets de mille qu'il y a d'étoiles et maman, autant de pièces d'or qu'il y a de gouttes de pluie dans un nuage.

Les parents s'extasiaient déjà devant un tel sens poétique, quand le gosse reprit :

– C'est que je suis votre seul héritier, moi.

★

« Naïveté, naïveté, que de mots l'on commet en ton nom! » C'est pourquoi le seul problème est de faire un choix entre des centaines d'histoires. Voici un peu en vrac ce que j'ai sélectionné sur ce thème.

Un ami professeur avait emmené son fils Alain voir *Jour de fête*. Soudain celui-ci s'écria :

– Je veux monter sur le manège.

– Mais c'est une image.

– Alors, dit Alain, je veux entrer dans l'image.

Sur la côte portugaise, un soir de brouillard, on entendait la corne d'un bateau au large.

– Le pauvre bateau s'est perdu dans le brouillard, expliqua un père à son fils.

– Ah! dit le gosse, et c'est pour cela qu'il appelle sa maman?

Véronique (sept ans), fille d'un de mes confrères, passait récemment devant le Palais de Justice.

– Qu'est-ce qu'on fait là-dedans? demanda-t-elle à son père.

– On rend la justice.

– Ah! Et pourquoi on l'a prise?

Un garçon de cinq ans avait de la fièvre. Le docteur vint le voir et posa son stéthoscope sur la poitrine du gosse qui dit d'un air averti :

– Vous téléphonez à mes microbes!

Un autre petit garçon avait des parents qui lui parlaient sans cesse des marchandises d'avant-guerre qui étaient tellement meilleures. Un jour, pour la première fois, il vit de la neige.

– Oh! s'écria-t-il, la belle neige, c'est de la neige d'avant-guerre?

Un soir, Jean Bellus rentra chez lui et expliqua qu'il venait de verser son obole pour l'achat de l'épée de Pierre Gaxotte qui avait été élu à l'Académie française.

– Gaxotte a beaucoup d'amis, dit-il, il y aura certainement trop d'argent.

– Ben, papa, dit Jean-François Bellus, vous n'aurez qu'à lui acheter aussi une carabine.

Mais le record de naïveté appartient sans conteste à Jean-Philippe (fils de Pierre-Jean Vaillard) qui, alors qu'il avait six ou sept ans, dit à son père :

– Demain, je voudrais me lever de bonne heure.
– Pourquoi?
– Hier, j'essayais d'attraper un petit oiseau et un grand m'a dit : « Si tu veux attraper un oiseau, tu peux te lever de bonne heure. »

Bien souvent la naïveté est feinte et il est difficile de discerner où commence et où s'arrête le jeu. Une jeune Hélène de quatre ans était montée sur un fauteuil censé représenter un bateau.

– Hélène, dit son père, tu vas tomber. Descends.

– Descendre, dit Hélène d'un air tragique, tu voudrais tout de même pas que je me noie?

Il fallut presque que son père se déguise en chaloupe pour qu'elle accepte de mettre pied à terre. Exigence moins difficile à réaliser cependant que celle de cette autre petite fille qui avait fait un trou dans le sable et qui voulait emporter ce trou chez elle.

★

Les enfants aiment répéter ce qu'ils entendent, et bien sûr, cela ne tombe pas toujours dans le mille. Ainsi cette gamine de six ans qui n'arrivait pas à enfiler son aiguille et qui dit d'un air très sérieux :

– C'est que je n'ai plus mes yeux de vingt ans.

Les petites filles veulent d'ailleurs toujours avoir l'air au courant. Un jour Michel de Saint Pierre raconta à sa fille Isaure, alors âgée de six ans, qu'il avait reçu un cadeau de Montherlant.

– Oh! dit la petite fille, montre-le-moi vite le cadeau de ton Therlant.

Et comme Michel de Saint Pierre demandait à

Isaure si elle savait qui était Montherlant, celle-ci répondit :

– Oui, un grand écriteau.

Quant aux garçons, ils ne craignent même pas de faire la morale aux adultes.

– Bon-papa, disait sévèrement un bout de chou de sept ans, tu sais que tu as tort de fumer sans arrêt. Le maître nous a dit aujourd'hui que c'était très mauvais pour la santé.

– Mais mon petit, dit le grand-père, un peu vexé, j'ai soixante-dix ans et je n'en ai jamais été incommodé.

– Peut-être, dit le gosse, mais si tu n'avais jamais fumé tu aurais sûrement quatre-vingts ans, maintenant.

Cela fut dit avec autant d'assurance que cet autre moutard expliquant à sa sœur :

– Tu vois, les touches de piano elles sont en ivoire. Eh bien! quand le piano est très vieux, on en fait des défenses d'éléphant.

Autre histoire qui date de 1945. Un beau jour d'été, vers midi, deux gamins regardaient passer des soldats américains dans une jeep. Or, chose curieuse, celle-ci avait ses phares allumés.

– Ils doivent être ivres, dit un des gosses.

– Mais non, répondit le plus grand, tu ne sais donc pas qu'à cette heure-ci, en Amérique, il fait nuit.

En définitive, les enfants détestent avoir l'air de ne pas savoir. Je pense, par exemple, à cette petite Christine de six ans à qui ses parents faisaient honte parce qu'elle ne savait pas lire.

– Tiens, dit son père, tu n'es même pas capable de me dire ce qui est écrit sur cette bouteille.

Christine considéra, d'un air grave, l'étiquette portant le nom d'une marque célèbre, puis dit :

– Mais si, papa, il y a écrit : « le vin rouge ».

Les questions des enfants sont tout aussi surprenantes que leurs réponses. Il y en a auxquelles il est facile de répondre, ainsi celle de ce petit Suisse qui demanda un jour à un technicien de *Radio-Genève* :

– A quelle heure passe l'émission que vous faites maintenant ?

– Entre dix-huit heures trente et dix-neuf heures.

– Ah ! dit le gosse, et en vraies heures, ça fait combien ?

D'autres questions sont plus compliquées. Je pense à cette petite fille qui voyait son frère aîné déposer ses lunettes sur sa table de chevet, avant de se coucher.

– Est-ce que sans lunettes, demanda-t-elle, tu arrives à bien voir tes rêves ?

Tandis qu'une autre petite fille alla réveiller sa mère et lui dit très sérieusement :

– Maman, il n'y a pas de jolis rêves dans ma chambre, puis-je dormir dans la tienne ?

Tout en effet semble possible aux gosses. Je pense à cette gamine qui venait d'arracher une touffe d'herbe.

– Tu es forte, lui dit un passant.

– Oui, répondit-elle rouge et ravie. Faut pas oublier que le monde entier tire de l'autre côté.

Souvent c'est quand on s'y attend le moins que jaillissent les mots d'enfants. Mon frère Bernard aidait un jour ma mère à faire le ménage.

– Maman, lui dit-il soudain, je suis ton petit balai de chambre.

Tandis que cet autre gamin, retour de cirque, confiait à son père :

– Quand je serai grand, je veux être nain.

Une petite Marine de six ans avait des parents qui possédaient château, auto, usine, etc. Un jour, son père l'entendit dire à sa sœur d'un air déçu :

– Nous, on n'a rien, papa et maman ont tout pris.

Je ne sais plus qui m'a raconté l'histoire de Philippe Terrenoire, cinq ans et fils d'un monsieur qui fut quelque peu ministre. Envoyé porter sur la plage le goûter de sa sœur Thérèse, il revint en disant :

– Je n'ai pas reconnu les fesses de Thérèse.

Je terminerai par un mot de ma nièce Indiana, alors âgée de six ans. Au cours d'un repas, on était en train de parler de l'esprit gaulois, quand soudain, à l'étonnement général, Indiana s'écria :

– Moi, je crois que je l'ai, l'esprit gaulois.

Et dans le silence, elle ajouta :

– Oui, parce que j'aurais aimé habiter dans des z'huttes.

Mais l'élevage est difficile

Une mère de famille disait un jour (1) :
– Avant de me marier, j'avais six théories sur l'art d'élever les enfants. Aujourd'hui, j'ai six enfants et plus de théorie du tout.

N'ayant qu'un fils, il doit bien me rester quatre ou cinq théories. C'est pourquoi, au fil de ce chapitre, il m'arrivera d'exposer quelques petites idées, ni meilleures ni pires que celles des autres, sur l'art et la manière d'élever les gosses.

Bien sûr, je pourrais donner des références. Me targuer, par exemple, de mes expériences de moniteur de colonie de vacances, ou dire, comme cet agent de publicité, que « si je connais bien les enfants, c'est que j'ai été enfant moi-même ». Mais pourquoi donner des références ? Ce livre est le mien et j'ai le droit d'y raconter ce que je veux. Ceux à qui ça ne plaira pas pourront toujours aller le revendre chez le premier bouquiniste venu.

Je n'oublie pas cependant qu'en matière de gosses si la critique est aisée, l'élevage est difficile. Prenons le cas des enfants qui ne veulent pas dormir. Pédiatres et journalistes spécialisés ont

(1) J.W. Rochester (1647-1680) l'avait dit avant elle.

toujours quantité d'excellents conseils à vous prodi-
guer.

En réalité, il n'y a pas grand-chose à faire sinon
avoir un grand appartement et mettre le bébé à
l'autre bout, avec une grand-mère sourde pour le
surveiller. Car, disait un père de famille :

– Ceux qui utilisent l'expression « dormir comme
des enfants » n'en ont certainement jamais eu.

Mon Jérôme de fils, pour sa part, fut un des bébés
les plus braillards de Paris. Or, nous avions à
l'époque un très petit appartement et pas la moin-
dre grand-mère sourde. Heureusement, en grandissant, il préféra brailler dans la journée, ce qui fait
que le soir il était suffisamment fatigué pour se
coucher et dormir.

Maintenant qu'il est grand, il chercherait plutôt
de bons prétextes pour ne pas se coucher. Comme
le remarquait un humoriste : « Les enfants n'aiment
pas remettre au lendemain ce qui les empêche de
se coucher le soir même. »

Cela me rappelle l'histoire de ce petit garçon qui
montait se coucher très, très lentement, tant cela
l'ennuyait.

– Dépêche-toi, lui dit sa mère.

– Je ne peux pas, répondit-il, je suis en rodage.

★

Si certains gosses n'aiment pas se coucher, d'autres n'aiment pas manger. C'était le cas de Jérôme
qui voyait, dans chaque repas, une occasion de
prouver que finalement il était le plus fort. Car la
grève de la faim reste la meilleure arme des
enfants.

– S'il refuse de manger, laissez-le faire, avait dit le
pédiatre. Au repas suivant, c'est lui qui réclamera.

Mais, au repas suivant, Jérôme ne mangeait pas mieux et il fallut en revenir au cinéma habituel : histoires, interventions de Monsieur du Grenier, etc.

Jérôme aurait certainement apprécié ce petit Zézé dont les Goncourt racontent qu'au cours d'un dîner il renversa soudain sa chaise en disant :

– Je ne veux plus mâcher... je trouve ça ennuyeux!

Ou cet autre gosse à qui on essayait en vain de faire manger sa soupe.

– Mais enfin, lui demanda une invitée qui se trouvait là, qu'est-ce que tu attends pour manger ta soupe?

– J'attends qu'elle s'évapore.

Ou encore, ce troisième gosse qui écrivait de la pension : *Tout ici est formidable, même la cuisine et on n'est pas obligé de la manger.*

En général le moment où Jérôme mangeait le mieux était celui où son amie Inès était là. Peut-être voulait-il l'impressionner ou bien Inès avait-elle un truc? Je ne pense pas cependant que ce soit le même que celui de ce petit garçon qui annonça à sa mère :

– Maman j'ai réussi à faire manger tous ses spaghetti à mon frère.

– C'est très bien, mon chéri, et comment as-tu fait?

– Je lui ai dit que c'étaient des vers.

En définitive, les enfants ne mangent bien que ce qui les inspire et ils en veulent aux parents de n'avoir pas la possibilité d'établir eux-mêmes leur menu. Ils leur en veulent même parfois très fort. Ainsi ma belle-sœur Josette qui disait à son frère Maurice :

– Quand maman sera morte, nous mangerons ce que nous voudrons.

Tous les enfants ne sont pas du genre Jérôme; il y a aussi les goulus qu'il faut freiner :

– Si tu manges autant, disait une mère à son fils, tu vas éclater.

– Eh bien, maman, si tu as peur, tu n'as qu'à t'éloigner un peu.

Certains poussent la gourmandise jusqu'à ses extrêmes limites. Ainsi cette petite fille qui se mettait devant une glace pour manger son gâteau :

– Comme ça, expliquait-elle, j'en mange deux.

Les gourmands ont souvent la main preste. Une mère qui avait un fils de ce genre lui disait :

– Il y avait deux gâteaux dans le buffet. Explique-moi pourquoi il n'en reste qu'un ?

– Ben, maman, c'est que je n'avais pas vu l'autre.

Tandis qu'un père disait à son fils :

– Il y avait deux poires dans ce compotier. Où est l'autre ?

– L'autre, c'est celle qui reste dans le compotier.

Les moments les plus dramatiques pour les gourmands sont ceux où ils voudraient bien avoir du dessert et où on les oublie. Ce fut le cas d'une petite fille à qui on avait interdit de demander quoi que ce soit. Mais soudain elle eut une idée et elle dit :

– Personne n'a besoin d'une assiette propre ?

Histoire à rapprocher de celle de cette autre fillette qui, forte des recommandations de sa mère, refusa de reprendre du gâteau.

– Cette enfant souffre d'un manque d'appétit, dit la maîtresse de maison.

– Non, répondit la petite fille, d'un excès de politesse.

Tous les enfants ne sont pas aussi polis, du moins si j'en juge par une histoire retrouvée dans le carnet où j'écrivais, à quinze ans, les mots appartenant au folklore familial. Mon grand-père offrait un jour des bonbons à sa nièce Nicole :

– Qu'est-ce qu'on dit à l'oncle André, Nicole? demanda la mère.

– Encore!

Cette histoire m'en rappelle une autre dont le héros est Alphonse Allais. Celui qui fut un des plus grands producteurs de mots de la Belle Epoque nous a laissé au moins un mot d'enfant.

Un jour, il se promenait avec sa sœur et son frère. Une bonne les accompagnait à laquelle les enfants Allais n'obéissaient guère, si bien qu'un colonel en retraite crut devoir intervenir pour rétablir l'ordre.

– Qu'est-ce qui m'a donné des enfants pareils qui ne veulent pas obéir à leur bonne? demanda-t-il.

A quoi Paul-Emile Allais qui n'avait peur de rien répondit :

– Qu'est-ce qui m'a donné un vieux bonhomme de Pitatou comme ça qui se mêle de ce qui ne le regarde pas?

Le colonel battit en retraite, mais le lendemain Jeanne-Mathilde Allais emmena ses frères présenter des excuses au vieil homme. Touché d'un tel repentir, non seulement celui-ci pardonna mais, désignant un carré de fraises, il dit :

– Mangez-en à votre appétit.

Si bien que, quelque temps après, Alphonse dit à sa sœur en désignant de superbes reines-claudes, dans le jardin du vieil homme :

– Si on disait encore des sottises au colonel,

peut-être qu'il nous inviterait à manger des pru-
nes.

Plus encore que les fruits, les bonbons tiennent
une grande place dans la vie des enfants. L'on
comprend que l'un d'eux, fort futé, ait proposé à sa
mère :

– Maman, si on jouait au zoo? Je serais l'éléphant,
et toi, tu serais le public qui offre aux éléphants des
bonbons et des gâteaux.

Les bonbons sont aussi à l'origine de cet horrible
mot de gosse de riche :

– Maman, achète-moi ce gros sac de bonbons et
j'inviterai les enfants de la concierge à venir me voir
les manger.

Comme disait mon grand-père :

– Il y a des coups de pied dans le derrière qui se
perdent.

L'avantage des enfants gourmands, c'est qu'on
peut les priver de dessert. Nous n'avons, hélas!
jamais eu cette chance avec Jérôme qui, lui, s'en
moquait éperdument.

Il n'est pas comme mon frère Bernard à qui on
venait d'arracher sa première dent de lait et qui
pleurait :

– Allons, lui dit ma mère, il n'y a pas de quoi faire
un drame. Elle repoussera ta dent.

– Oui, mais pas pour le dîner.

Jérôme n'était quand même pas comme Jean
Galtier-Boissière qui, pour embêter ses parents,
avait décidé de ne jamais manger de dessert. Il tint
le coup plusieurs années, faisant preuve de plus de
stoïcisme que cet enfant privé de dessert qui avait
dit d'un air fanfaron :

– Ça m'est bien égal.

Hélas! le dessert se trouva être de la crème au

chocolat que le petit garçon appréciait par-dessus tout.

– Cela t'est toujours égal? demanda sa mère.

– Parfaitement égal, répondit-il plus désinvolte que jamais. Et tu vois, ça m'est tellement égal que tu pourrais même m'en donner.

★

– Moi, disait ce père de famille, je ne bats jamais mes enfants, sauf pour me défendre.

Il y a des moments en effet où il est bien difficile de ne pas rouer de coups nos chers petits. J'avoue que Jérôme m'a parfois tellement excédé que j'ai fini par le rosser. Jehanne aussi d'ailleurs, ce qui fit dire à Jérôme un jour où il venait de recevoir une gifle maternelle :

– N'est-ce pas, papa, que c'est mal de battre un garçon gentil et distingué comme moi?

J'espère quand même que Jérôme n'aura pas la rancune aussi tenace que Jean Galtier-Boissière qui a raconté, dans ses *Mémoires d'un Parisien* (1) : *Je n'ai jamais accepté de bon cœur les gifles qui me paraissaient à la fois attenter à ma dignité et rabaisser mes parents; il m'est arrivé, à cinquante ans de distance, de reprocher à ma mère ces petits sévices en choisissant, bien entendu, le soir où elle avait un grand dîner. Je me vengeais d'une méthode d'éducation que j'ai toujours réprouvée.*

C'était bien l'avis aussi de Louis XIV qui était si terrible que sa mère fut souvent obligée de lui donner le fouet.

Un jour, à l'occasion d'un lit de justice, la reine

(1) Editions de la Table Ronde.

s'inclina devant le jeune roi que l'on avait installé sur le trône, comme le voulait la coutume.

– Ah! Madame, dit l'enfant, je vous remercie fort de vos civilités, mais j'aimerais mieux que vous ne me fassiez plus donner le fouet.

Certains enfants admettent d'être battus mais pas n'importe comment. Ainsi ce petit garçon qui détestait les gifles et qui déclara dignement à son père :

– Papa, j'ai un derrière!

Bien entendu les sévices corporels, comme on dit, doivent être réduits au minimum, mais il y a des cas où il est difficile de faire autrement. Les magistrats eux-mêmes sont d'accord à ce sujet, ainsi que le prouve ce jugement du tribunal du Mans, publié par *le Bulletin de l'ordre des dentistes* :

Audience du 18 mai 1961.

Le tribunal,

Attendu qu'il résulte des débats que les parents X... sachant leur enfant nerveux et désobéissant l'ont fait accompagner chez le dentiste par un simple et jeune employé, sans autorité morale ni matérielle sur l'enfant, qu'ils s'en sont donc remis entièrement au chirurgien-dentiste pour obtenir la discipline nécessaire à l'extraction délicate d'une grosse dent. Que, dans ces conditions, le recours du praticien à deux gifles, après une lutte homérique contre l'enfant, dont la santé et la vie lui étaient confiées, n'apparaît pas comme une méthode barbare et disproportionnée au résultat cherché; que ce recours fait partie de l'arsenal usuel que doivent employer tous ceux qui ont affaire à des enfants difficiles, faute de quoi chaque école, chaque cabinet médical, chaque étude, chaque foyer devra user du service des gendarmes déjà trop employés par la République; qu'il y a lieu à relaxe.

Pour ces motifs, relaxe Y...
Déboute en conséquence X... de sa constitution et le
condamne aux dépens.

Certains parents, hélas! se vengent de leurs échecs sur leurs enfants. Un peu comme l'officier de réserve à qui une période ou la guerre permet de prendre une revanche sur la médiocrité de sa situation dans le civil. Si une certaine sévérité est parfois nécessaire, il ne faut pas faire comme cette dame à qui l'on disait :

– Vos enfants ont l'air bien triste.

– C'est vrai, répondit-elle, et pourtant je les fouette toute la journée pour leur faire perdre cet air-là.

★

Le choix des copains est un problème qui préoccupe beaucoup de parents. Une chose est sûre, c'est qu'il n'y a rien de pire qu'un enfant qui n'a pas de copains.

Certes, il y a des « mauvais génies », comme disait la comtesse de Ségur, mais il ne faut pas croire que le fils du riche M. Durand-Dupont sera forcément un ami plus recommandable que tel autre gosse catalogué comme un dangereux voyou. Les blousons dorés sont bien pires que les blousons noirs.

A de rares exceptions près, mieux vaut donc laisser les enfants choisir leurs amis à leur guise.

– Ne va pas jouer avec Henri, disait une mère à son fils, il est trop mal élevé.

– Bien maman, répondit le fils. Mais est-ce qu'Henri peut venir jouer avec moi, puisque je suis bien élevé?

Le fils unique que ses parents chouchoutent,

surtout s'il est un gosse de riche, a besoin de se frotter à plus fort que lui. Mes parents étaient plutôt fauchés, mais j'étais l'aîné de trois, donc habitué à faire un peu la loi chez moi. C'est pourquoi je n'ai qu'à me féliciter d'avoir eu deux grandes cousines, Todie et Agneau, que j'admirais beaucoup et qui se chargeaient de me rabattre mon caquet.

– Je suis un prince, déclarai-je un jour à Agneau.

– Oui, le prince de « gale », me répondit-elle.

Il est heureux que les jeunes n'aient le respect ni de la fortune ni des titres. Au collège de Navarre, sous le règne de Louis XIV, un écolier se disputait avec le jeune marquis de la Trémouille.

– Sais-tu bien, dit celui-ci, que je suis fils de duc?

– Tiens, répondit l'autre en lui donnant un grand coup de pied dans le derrière, quand tu serais prince, je ne pourrais te le donner meilleur.

Même s'ils ne jouent pas à la guerre des boutons, il y a toujours un moment où les enfants adorent se battre. Tout au plus faut-il souhaiter qu'ils n'exagèrent pas.

Feydeau avait un fils très batailleur. Un jour où celui-ci se conduisait gentiment avec une petite fille, son père le félicita :

– Au moins celle-là, tu ne la bats pas!

– Je ne la connais pas encore assez, répondit le gosse.

★

Je crois qu'il ne faut pas plus imposer certains copains aux enfants que les contraindre à porter certains vêtements. Après tout, ils ont bien le droit d'avoir des goûts vestimentaires. Naturellement, dans les familles nombreuses, on use les vêtements des aînés ou des grands cousins, ce que les cadets comprennent en général très bien. L'un d'eux cependant qui, depuis sa naissance, avait utilisé non seulement les vêtements mais les jouets et les livres de son frère, demanda un jour à sa mère :

– Maman, quand mon frère mourra, est-ce qu'il faudra que j'épouse sa femme?

Sauf si cela pose des problèmes financiers, il ne faut donc pas refuser un pantalon long à un garçon, sous prétexte qu'il est trop jeune, un chandail rouge parce que c'est voyant ou une blouse grise, parce que c'est triste. Si un gosse veut être habillé comme tel ou tel de ses copains, c'est la preuve qu'il est bien assimilé à son milieu.

Ce n'est peut-être pas une raison pour lui acheter la panoplie du parfait petit blouson noir. Encore que l'on ne sache pas très bien où s'arrête le danger puisqu'il existe aussi un gang des blouses grises.

Un autre problème c'est d'apprendre aux enfants à se laver. J'en parle parce qu'il le faut, mais je n'ai jamais aimé ça et j'aurais été assez du genre de cet élève qui disait à son professeur :

– Je ne me lave plus, depuis que vous m'avez dit que Marat était mort dans sa baignoire.

Ou de cet autre moutard qui confiait à sa sœur :

– Maman s'est aperçue que je ne m'étais pas lavé ce matin. Tu comprends, j'avais oublié de renverser de l'eau dans la salle de bains.

Je ne me suis quand même jamais enfui de chez moi parce qu'on me lavait trop. Je n'en étais pas au point de ce petit garçon dont Alphonse Karr raconte qu'il refusait de donner l'adresse de sa mère :

– Pourquoi? lui demandait-on, elle te bat?

– Non, elle me peigne.

★

Jean Nohain, au temps où il tenait la page des enfants de *l'Echo de Paris*, demanda à ses jeunes lecteurs quel était le plus bel âge de la vie. La plupart d'entre eux répondirent que c'était dix-huit ans, vingt ans, ou vingt-cinq ans. Mais une petite fille plus maligne écrivit :

Monsieur Jaboune, le plus bel âge de la vie c'est quatre-vingt-quinze ans, parce qu'alors on est sûr de mourir très vieux!...

Car les enfants ont souvent beaucoup plus de bon sens que les adultes. La preuve cet autre petit garçon qui à la question posée par le même Jean Nohain : « Quel est le plus grand homme d'aujourd'hui? » répondit :

Monsieur Jaboune, vous dire quel est le plus grand homme vivant ce n'est pas commode... parce qu'avec tous ces grands hommes d'aujourd'hui, on sait bien comment ils commencent mais on ne sait jamais comment ils finissent!

C'est pourquoi les parents auraient parfois intérêt à ne pas mésestimer les conseils de leurs enfants. Ainsi ce Jean-Paul de huit ans, disant à une bonne qui voulait rendre son tablier, parce qu'elle avait gagné à la Loterie nationale :

– Restez, maman a besoin de vous. Du reste, l'argent ne fait pas le bonheur. J'ai lu ça dans mon livre de lecture.

En tout cas, sans une petite fille de onze ans, Grace Bedell, Abraham Lincoln n'aurait peut-être pas été élu président des Etats-Unis. Il n'était encore que candidat quand elle lui écrivit :

Vous seriez beaucoup mieux avec une barbe parce

que vous avez le visage trop maigre. Et puis, vous savez, les dames aiment toutes la barbe et elles demanderont à leurs maris de voter pour vous et vous serez élu président.

Lincoln suivit ce conseil et s'en trouva bien. L'année suivante, passant à Westfield, la ville où habitait Grace, il prit la parole et termina son discours en disant :

– Il y a dans cette ville une petite fille que j'aimerais embrasser. Elle s'appelle Grace Bedell...

Et, au milieu des applaudissements, Grace fut conduite jusqu'au président qui déposa un gros baiser sur son front.

C'est-y pas touchant cette histoire ? Heureusement les enfants ne s'occupent pas que de politique et je trouve plus réconfortante l'histoire de cette petite Française disant à une dame :

– Madame, est-ce que vous pouvez m'ouvrir cette grille ?

– Volontiers, mais regarde bien comment je fais pour pouvoir le refaire... Là, tu as compris. Tu ouvriras toute seule demain ?

– Oh ! oui, madame, parce que demain la peinture sera sèche.

Cette autre fillette n'était pas moins prudente qui demandait un jour, fort poliment, à un passant :

– Pardon, monsieur, vous ne voulez pas caresser ce chien ?

– Si tu veux. Mais pourquoi me demandes-tu cela ?

– Pour savoir s'il mord.

Que l'on ne compte pas sur moi pour faire des reproches à cette petite, car j'ai toujours eu peur des chiens (et encore plus des chats). Bien que ce ne soit pas moi, je me vois assez dans la peau de ce gosse qui sonnait à une grille et hésitait à entrer à cause d'un énorme chien qu'il apercevait dans le jardin.

— Entre, entre, lui cria le propriétaire du chien, il ne mord pas.

— Oui, mais est-ce qu'il avale?

On n'est jamais assez prévoyant. Le record du genre appartenant cependant à cet enfant qui, sur le point d'aller se promener avec son jeune frère, demanda à sa mère :

— Si mon petit frère est écrasé ou volé, ou n'importe quoi, que dois-je faire? Finir ma promenade et venir te prévenir ou venir te prévenir d'abord et finir ma promenade ensuite?

★

Les enfants sont pratiques mais ils sont aussi logiques. Jean Nohain qui les connaît bien a raconté, dans ses Mémoires (1), comment il avait dit un jour à une petite fille qui toussait :

— Quand on tousse, mademoiselle, il faut mettre sa main devant sa bouche.

— J'ai essayé, répondit-elle, mais ça ne m'empêche pas de tousser.

C'est aussi Jean Nohain qui raconte que, lorsque son fils Daniel eut ses premières dents, il souffrait beaucoup et criait.

— Qu'est-ce qu'il a, dis, papa, le pauvre petit? demandaient les aînés. Qu'est-ce qu'il a à crier comme ça?

— C'est parce qu'il a mal aux dents, mes chéris...

— Il ne peut pas avoir mal aux dents puisqu'il n'en a pas!

Mais la logique n'est pas une exclusivité des

_____

(1) *J'ai cinquante ans* (Ed. Julliard).

enfants Nohain. Ce petit Parisien de sept ans, par exemple, avait une chambre dans un tel désordre que sa mère le gronda, en disant :

– Tu as mis tout en l'air.

– Pourquoi dire que j'ai mis tout en l'air, répondit-il, alors que tout est par terre?

Tandis que cet autre gosse à qui l'on demandait : « Pourquoi fais-tu de si grandes lettres pour écrire à ta grand-mère? » répondit :

– Elle est très sourde.

Cette petite fille venait d'assister pour la première fois à un ballet classique. A la fin, elle dit à sa mère :

– Si on les prenait plus grandes, elles ne seraient pas obligées de se mettre tout le temps sur la pointe des pieds!

Remarque aussi logique que celle de cette autre petite fille qui déclarait :

– Moi, je danse mieux que maman. Elle, il faut la tenir.

Ou que celle de cette troisième petite fille qui disait à sa mère :

– Demain, c'est aussi mon anniversaire!

– Pourquoi, ma chérie?

– Hier, je n'avais que cinq ans, aujourd'hui, j'en ai six, alors demain j'en aurai sept.

★

Finalement si vos enfants ne sont pas aussi sages que vous le souhaitez, consolez-vous... et surtout rappelez-vous le mot de cette gamine disant à sa tante :

– Que veux-tu, les enfants sages, ça n'existe pas. La seule exception, c'est maman, quand elle avait mon âge.

64

Car les parents ont trop tendance à oublier leurs méfaits pour se parer d'une auréole de sagesse bien peu méritée. De toute façon, même l'excès de sagesse a ses revers. La preuve, l'histoire de cette dame qui devait sortir et qui expliqua à ses rejetons que le plus sage d'entre eux aurait un beau cadeau.

Deux heures plus tard, la dame rentra et tendit l'oreille. Tout était silencieux. Elle glissa la clef dans la serrure et, juste à ce moment-là, une formidable bagarre éclata dans la chambre des enfants. La dame se précipita et, l'ordre rétabli, demanda :

– Pourquoi vous battiez-vous ?

– Parce qu'on n'était pas d'accord sur celui qui avait été le plus sage.

Ce qui me rappelle l'histoire de ce père qui, un dimanche, interrogeait ses trois enfants.

– Qui a été le plus sage ici ? Qui a mérité une récompense ? Qui a fait tout ce que j'ai dit de faire ?

Un silence, puis on entendit la voix de la cadette.

– Toi, papa.

★

Un autre tort fréquent chez les adultes : croire que les enfants aiment les mêmes choses qu'eux, au même âge. C'est le cas pour les jouets. Or chacun sait que les enfants s'amusent souvent beaucoup mieux avec de vieilles boîtes de conserve ou des débris de caisse qu'avec les jouets les plus rutilants. La preuve, l'histoire de cette dame qui proposa un jour à sa nièce :

– Veux-tu que je t'achète cette belle poupée ?

– Non, ma tante, j'aimerais mieux que tu m'en

achètes une vieille avec le nez cassé et la peinture abîmée.

— Mais tu es folle, ma pauvre petite.

— Non, je voudrais jouer à l'institut de beauté.

Point trop n'en faut en effet, comme le montre l'histoire de la petite fille qui entra dans une boutique et demanda une poupée.

— En voici une, dit le marchand, qui marche, crie, pleure et boit.

— Vous savez, monsieur, j'ai déjà une petite sœur qui fait tout ça. Je voudrais simplement une poupée.

Mais l'histoire la plus édifiante m'a été racontée par ma mère. Le peintre Maurice Denis avait une fille de quatre ans, Noëlle, dite Nono. C'était l'année de l'Exposition. On répétait sans cesse à la petite : « Si Nono est sage, elle ira à l'Exposition », et l'on vantait les charmes de ladite exposition.

Un beau jour, enfin, Maurice Denis conduisit sa fille à l'Exposition. A peine arrivée, Nono ne regarda rien et, au grand désappointement de son père, se précipita sur un tas de sable dont il fut impossible de la faire démarrer.

Si bien qu'ensuite on disait : « Si Nono n'est pas sage, elle ira à l'Exposition. »

Mystères et boules de gomme

– J'ai toujours été élevée dans une bouteille et je passerai directement de la bouteille au mariage, disait cette héroïne de Dostoïevski.

Trop d'enfants, hélas! sont élevés dans des bouteilles et l'on se garde bien de leur expliquer le minimum de ce qu'ils doivent savoir. Certes, des progrès ont été réalisés sur ce plan. Les journaux, des livres même, ont expliqué aux parents comment apprendre à leurs rejetons qu'un monsieur et une dame ce n'est pas tout à fait comme les fleurs ou les abeilles.

Quand on se lance dans ce genre d'explications, on a parfois des surprises. Ainsi ce gosse de onze ans qui, après avoir écouté les précisions paternelles, fit la moue et dit :

– Alors, chaque fois qu'on veut un enfant, il faut recommencer.

Les parents qui en sont au stade du chou ont, eux aussi, des surprises. Par exemple, cette mère à qui sa fille demanda :

– Quand on fait chou blanc, c'est qu'on ne peut pas avoir d'enfant?

Réflexion à rapprocher de celle du petit garçon qui venait d'avoir un frère et qui disait :

– Zut! on va manger du chou toute la semaine.

Parfois, il y a des révélations qui sont décevantes. Philippe, le fils d'une de mes amies, avait huit ans quand sa mère, usant de l'image classique de la graine, lui expliqua tout ce qu'il y avait à expliquer.

Pas tout à fait quand même puisque, quelques jours plus tard, Philippe rentra de l'école et déclara à sa mère :

– J'ai un copain qui dit qu'une demoiselle peut attendre un bébé. C'est impossible, hein, maman?

– Si, c'est possible, mon chéri!

Alors Philippe horrifié s'écria :

– Comment! Je pourrais donner ma graine et on ne voudrait pas m'épouser!

Que l'on se rassure, Philippe est aujourd'hui marié et père de famille... On a bien voulu l'épouser!

La plus jolie réplique du genre est peut-être celle de Frédérique, fille de Dany Robin et Georges Marchal. Elle avait quatre ans lorsqu'un jour elle supplia sa mère de lui donner un petit frère. Dany lui expliqua, du mieux qu'elle put, qu'il fallait attendre le retour de son père, alors absent, pour lui demander s'il voulait bien.

Le soir où Georges Marchal rentra à la maison, Frédérique se précipita vers lui en disant :

– Papa, quand allez-vous vous remarier avec maman, pour avoir un petit frère?

Jean, un petit Périgourdin qui, lui, venait d'apprendre que sa mère allait avoir une petite sœur, déclara :

– Chut, papa, ne dis rien à maman, on va lui faire une surprise.

On n'est jamais assez précis avec les enfants. La mère d'une petite Martine de cinq ans attendait un heureux événement. Comme sa taille s'épaississait de jour en jour, elle décida d'expliquer à sa fille que la famille allait bientôt s'agrandir et elle termina en disant :

– Le bébé se trouve dans mon cœur, ma chérie. Le moment venu une petite porte s'ouvrira et tu auras une sœur ou un frère. Tu verras comme il sera mignon.

Martine réfléchit et demanda :

– Le bébé, il se trouve bien dans ton cœur?

– Oui.

– Et alors, dit-elle en pointant son doigt sur le ventre de sa mère, là, c'est la poussette?

Question à rapprocher de celle que ma nièce Indiana (d'ailleurs née en vingt minutes) posa à sa mère :

– Est-ce que je t'ai fait mal en sortant?

– Non.

– Et le berceau avec les roulettes, il ne t'a pas fait mal non plus?

Jacques (trois ans), fils de mon cousin Etienne, apprit récemment que sa mère attendait une petite sœur et que celle-ci était dans le ventre maternel. (En réalité, ce fut un petit frère, mais chacun sait qu'il y a parfois des erreurs d'aiguillage.)

– Ouvre la bouche, dit Jacques à sa mère.

– Pourquoi?

– Je veux y aller aussi.

Sans doute pour faire connaissance... ce qui était bien normal.

J'ai d'ailleurs retrouvé une histoire presque analogue dans un vieux recueil du XIXᵉ siècle que Jacques n'avait manifestement pas lu. Ce qui prouve, une fois de plus, que les mots d'enfant se refont de génération en génération.

Parfois, c'est un peu prématurément que l'on

annonce une naissance. Le cas s'était produit pour des amis de Jean Bruce et celui-ci en parlait devant sa fille Martine, alors âgée de douze ans.

– Ah! dit Martine, ils avaient dû faire ça par-dessous la jambe.

Un petit garçon avait vu une dame que sa grossesse rendait particulièrement opulente.

– Oh! maman, s'écria-t-il, elle a au moins un bébé de deux ans dans le ventre!

Parfois les gosses ne se posent pas de questions; ils font comme les pigeons dont Jules Renard disait qu'ils s'obstinent à croire que l'on fait les enfants par le bec. D'où ce dialogue, non pas entre deux pigeonnes, mais entre deux petites filles qui jouaient à la dame.

– J'ai eu trois enfants la première année, disait l'une.

– Et vous les nourrissiez, madame?

– Mon Dieu! madame, j'ai nourri le premier, mais ça m'a tant fatiguée que mon mari n'a jamais voulu que je continue... C'est lui qui a nourri les autres.

En général ce sont plutôt les mères qui allaitent les enfants. L'une d'elles était un jour occupée à cette opération, sous l'œil intéressé d'une petite fille de trois ans. Soudain, celle-ci y alla de son conseil.

– Madame, secoue bien, sans ça le sucre reste au fond.

Avant d'allaiter les bébés, il faut les mettre au monde. Ensuite de quoi, on peut les présenter au frère ou à la sœur qui d'ailleurs n'est pas forcément admiratif. Ainsi cette fillette à qui on demandait :

– Elle te plaît, ta petite sœur?

– Ah! non alors! elle pleure tout le temps.

– Pourquoi ta mère ne la rend pas au marchand?

70

– Tu es fou, il ne la reprendrait pas, ça fait déjà une semaine qu'elle sert.

Car on peut être naïve et connaître les usages commerciaux.

Eugène Hugo (deux ans) n'accueillit pas son frère Victor avec beaucoup plus d'enthousiasme.

– Oh la bébête! s'écria-t-il.

Parfois les gosses sont curieux de savoir comment ils étaient en naissant.

– Tu étais tout rouge, dit cette mère à son fils.

– Ah! j'étais intimidé.

Cependant qu'un autre enfant à qui l'on présentait des jumeaux les examina soigneusement et dit :

– C'est celui-là qu'il faut garder.

Dernier problème, lui aussi source de réflexions naïves, c'est le moment où un petit garçon voit pour la première fois une petite fille toute nue et s'aperçoit que ce n'est pas tout à fait la même chose. Un gosse qui avait fait cette découverte réfléchit beaucoup et finit par dire à sa mère :

– Ho! maman, est-ce que je serai comme ça quand on m'aura enlevé les amygdales?

Avec les chats, le problème de la différenciation des sexes est plus simple. Une petite fille demandait un jour à son cousin :

– Tes chatons, ce sont des mâles ou des femelles?

– Des mâles, voyons, tu vois bien qu'ils ont des moustaches.

Et puisque nous en sommes aux animaux je terminerai par l'histoire de Jeannot Lapin demandant à son père :

– Papa, est-ce que c'est vrai que les petits lapins naissent dans des chapeaux?

★

Après les mystères du sexe, une des premières questions que se posent les enfants est de savoir s'ils mourront un jour et si leurs parents mourront. On peut difficilement ne pas répondre « oui » et pourtant cette réponse leur paraît souvent affreuse. Il est terrible, en effet, pour un bambin, de découvrir soudain, dans ce monde qui semble bâti pour lui, la précarité de son existence.

Bien sûr, si les parents croient à un Dieu et à un Paradis, le problème est facile à résoudre. La description des délices du Ciel console vite l'enfant, surtout quand il apprend qu'il retrouvera là-haut tous ceux qu'il aime.

De même la menace de l'Enfer est commode pour inciter les enfants à bien se conduire. Car ce Dieu qui voit tout et qui entend tout est beaucoup plus redoutable que les gendarmes qui ne peuvent pas être partout à la fois. Il est vrai que les parents non croyants ont toujours la ressource de Monsieur du Grenier ou de tel autre croquemitaine, mais ce sont des mythes très sommaires et dont l'enfant a vite fait de démonter le mécanisme.

La religion catholique ne consiste pas seulement dans la promesse des délices du Ciel et dans la menace des tourments de l'Enfer. La première chose que l'on apprend aux enfants, c'est à faire leur prière. Mais la prière, les rapports avec Dieu, tout cela est bien compliqué. D'où quantité de réflexions aussi charmantes que naïves.

Cette petite fille par exemple qui disait :

– Mon Dieu, bénissez papa, maman et grand-père. Et ceci est un adieu, mon Dieu, parce que demain mes parents et moi allons habiter Bordeaux.

Tandis qu'un petit garçon demandait :

– Faites, s'il vous plaît, mon Dieu, que mon papa, ma maman et ma grand-mère soient toujours en bonne santé et que les vitamines soient dans les gâteaux et pas dans les épinards...

Ce qui était quand même moins contraire aux règlements que de prier le Diable, comme cet autre petit garçon, qui, au siècle dernier, expliquait à Arthur Murcier :

– Il est si malheureux! Personne ne s'intéresse à lui.

Le Diable est malin, il sait adopter tous les déguisements. Comme l'écrivit un gosse : *En devenant vieux, le Diable se fait termite.*

« Pour ce qui est des dieux, disait fort justement Xénophane, il n'y a que des opinions. » Après tout, pourquoi n'en serait-il pas de même pour messire Lucifer?

★

Jean Nohain a raconté dans ses Mémoires cette histoire qu'il trouvait adorable et qui lui avait été envoyée par une dame dont la fille avait peur la nuit. Elle tremblait toute seule dans sa chambre, si bien que sa mère lui avait dit :

– Pour ne pas avoir peur, ma chérie, tu n'as qu'à réciter un *Je vous salue, Marie* avant de t'endormir.

Un soir, la mère resta derrière la porte, écouta et entendit la petite fille toute tremblante qui balbutiait :

– Je vous salue, Marie, pleine de grâce, le Seigneur est avec vous... Vous en avez de la chance!

Jean Nohain aurait certainement beaucoup aimé aussi le mot de cette autre fillette qui, sur le point de laisser à sa sœur sa place sur le prie-Dieu, termina en disant :

– Bonsoir, petit Jésus, et ne quittez pas, je vous passe ma sœur.

Certains enfants rechignent à faire leur prière. Celui-ci par exemple qui dit à son frère :

– J'en ai assez de demander tous les soirs mon pain quotidien, je vais le demander pour une semaine.

– Eh bien! dit le frère, le Bon Dieu te donnera du pain rassis, ce sera bien fait pour toi.

D'autres gosses aiment beaucoup prier, mais pour des raisons qui n'ont rien à voir avec la piété. Ainsi ce Jean-Pierre de sept ans qui expliquait à une dame que, le soir, chez son grand-père, on faisait la prière en commun et qu'il aimait beaucoup ça.

– Pourquoi? demanda la dame.

– Parce qu'on a un bonbon après.

Parfois, les enfants s'embrouillent dans le texte de leur prière. Ainsi ce petit Bernard de quatre ans qui un jour était très enrhumé. Il toussait et reniflait sans arriver à trouver ses mots. Si bien qu'il finit par dire :

– Petit Jésus... je vous donne... mon... mon rhume.

La Chronique de notre Communauté que publie la paroisse Saint-François-Xavier, à Paris, cite cette version peu orthodoxe de l'acte de contrition : *Mon Dieu, j'ai un très grand regret de vous avoir enfoncé.*

Le bulletin paroissial du Plessis-Malabry cite une autre perle relevée dans une récitation écrite de *Je crois en Dieu* : *... a été crucifié, est mort, est descendu à Denfert.*

Tandis que cette petite fille qui, pendant la guerre, devait sans doute souffrir de la faim récitait :

– Je vous salue, Marie, pleine de matières grasses.

Quant à moi, ayant appris que le Saint-Esprit était représenté par un oiseau, je demandai à ma mère :

– Et « ainsi soit-il », c'est aussi un oiseau ?

Les enfants ne posent pas seulement des questions et certains trouvent eux-mêmes les réponses. Tel celui-ci à qui un copain demandait :

– Est-ce que tu crois que le Bon Dieu a froid, la nuit ?

– Mais non, voyons, répondit l'autre, il a tous les nuages pour se couvrir.

Tandis qu'une petite Michèle, fille d'une lectrice de *la Vie catholique illustrée*, qui avait vu un avion inscrire un slogan publicitaire dans le ciel, demanda à sa mère :

– Dis, maman, tu crois pas que le petit Jésus va gronder, si on écrit sur sa porte ?

★

Un jour vient où les enfants vont au catéchisme et bien entendu les textes qu'ils ont à apprendre fourmillent de pièges. Mme Süe, une vieille amie de la famille, qui faisait le catéchisme à Servanches, en Dordogne, demandait un jour à un petit paysan :

– Qu'est-ce que veut dire « les biens d'autrui tu ne prendras » ?

– Ça veut dire qu'il ne faut pas manger la soupe de la truie.

Et c'est à la même Mme Süe qu'un autre gosse récita ce commandement pas du tout orthodoxe :

– Tous tes péchés commettras au moins une fois l'an.

Tandis qu'un petit Bordelais affirmait :

– Les biens d'autrui tu ne prendras qu'en mariage seulement.

Ma tante Thérèse qui, elle aussi, fit parfois le catéchisme s'entendit dire par un futur ascète :

– Vendredi chair ne mangeras ni autres jours pareillement.

Le neuvième commandement de Dieu donne lieu à des interprétations fantaisistes. Et cela d'autant plus que l'on ne l'explique jamais clairement. Pour ma part, je demandai un jour à ma mère :

– Maman, œuvre de chair ne désireras qu'en mariage seulement, est-ce que ça veut dire qu'on ne peut manger du bifteck que quand on est marié ?

Par la suite, je réfléchis au problème et j'arrivai à la conclusion que si l'on se mariait un vendredi, on pouvait quand même manger de la viande ce jour-là. Ce qui était moins poétique que la version recueillie par Léon Treich :

– Le vrai dessert ne désireras qu'en mariage seulement.

Mais plus encourageant que l'affirmation d'un autre gosse :

– Le mariage est un sacrement qui punit légalement l'homme et la femme.

Le catéchisme ne consiste pas seulement dans la récitation des commandements. Les mystères de l'existence de Dieu posent bien des problèmes aux enfants.

– Le Père est-il Dieu ? demandait, au siècle dernier, un brave prêtre.

– Oui, m'sieur le curé.

– Et le Fils ?

– Sans doute, mais plus tard, quand le Père sera mort.

Vers la même époque, un autre prêtre demandait :

– Où était Dieu avant la création?

– Dame, m'sieur le curé, il était chez lui, il faisait ce qu'il voulait.

Quant à savoir ce qu'a fait Dieu, après la création... c'est-à-dire le septième jour... Eh bien! s'il faut en croire un petit Marseillais, « il a fait une pétanque ».

En Bourgogne, on obtient dès réponses qui ne sont pas moins surprenantes. Ainsi ce gosse à qui l'on demandait :

– Quel jour Jésus-Christ est-il mort?

– Je saviops même pas qu'il était malade, répondit-il.

Les prêtres ont heureusement l'habitude des surprises. L'un d'eux vit arriver un petit garçon qui lui annonça fièrement :

– Monsieur le curé, j'ai dessiné le Bon Dieu.

– Mais, mon petit, personne ne sait comment est fait le Bon Dieu.

– Ben, maintenant on le saura.

Les enfants ne doutent de rien. Si l'un d'eux se contenta d'affirmer que « pour créer l'homme, Dieu prit un peu de terre et lui souffla dans les oreilles », mon frère Bernard, lui, décida de passer de la théorie à la pratique. Un jour, ma mère le découvrit dans le jardin, l'air ennuyé. Elle lui demanda pourquoi et il expliqua :

– J'ai soufflé sur une poignée de terre et je n'ai pas pu faire un homme.

Belle confiance que l'on peut rapprocher de celle de mon frère Philippe qui avait appris au lycée une récitation disant à peu près : *J'aimerais bien faire des voyages, aller très vite, aller très haut mais je n'ai qu'une trottinette...*

– J'aimerais bien voler, dit-il le soir en rentrant.

– Tu n'as pas d'ailes, lui dit ma mère.

– Je pourrais peut-être demander à mon ange gardien de me prêter les siennes.

Autre histoire familiale dont le héros fut mon cousin Etienne qui était alors un adorable blondinet de trois ans. Je recopie le dialogue tel que je l'ai noté à l'époque :

ETIENNE. – Maman, je veux une serviette jaune.

MAMAN. – Non, tu es trop petit, regarde Jean-Jean qui est grand n'en a pas lui-même.

ETIENNE (*pensif*). – Oui, c'est vrai qu'il est grand, puisque ses pieds touchent par terre quand il est assis.

MAMAN. – Enfin tu es trop petit pour avoir une serviette jaune, quand tu seras plus grand tu en auras une.

ETIENNE (*penaud*). – Mais, maman, ce n'est pas de ma faute si le Bon Dieu n'avait pas assez d'os et pas assez de peau pour me faire.

C'est le même Etienne qui, l'année suivante, en vacances à Brétignolles, vit pour la première fois une statue de la Sainte Vierge priant les mains jointes :

– Qu'est-ce qu'elle fait la Sainte Vierge, Etienne ? lui demanda sa mère.

– Elle va plonger, maman.

Mot à rapprocher de celui de Monique (onze ans) qui, regardant un calendrier, dit à sa mère :

– Maman, *Nat. de la Sainte Vierge*, est-ce que cela veut dire : « Natation de la Sainte Vierge » ?

Tandis qu'un petit Raymond de cinq ans, voyant une statue de la Sainte Vierge en pleurs, demanda :

– Maman, est-ce qu'elle a eu du savon dans les yeux pour tant pleurer ?

Un jeune garçon affirmait :

– Quand l'ange Gabriel vint annoncer à Marie la

naissance de son fils, elle était en train de dire son chapelet...

Quelle fut la réponse de celle qu'un autre garçon appelait « l'immatriculée conception » ? Si j'en crois une jeune Manon, ce fut :

— J'en parlerai à mon mari.

D'après un petit Orléanais, *Joseph était charpentier. Il devint biblique à la suite de l'adoption de Jésus et de son mariage avec Marie.*

Parfois ce sont de véritables problèmes théologiques que posent les enfants :

— Est-ce que les lions vont au ciel, monsieur le curé ? demandait l'un d'eux.

— Bien sûr que non.

— Et les missionnaires ?

— Bien sûr que oui.

— Et les lions qui mangent des missionnaires ?

Histoire qui n'a rien à voir avec la parabole du semeur qui, à en croire un autre gosse, était la suivante : *Le semeur en marchant s'était foulé un pied; il tomba et les oiseaux du ciel le mangèrent.*

★

Si les devoirs envers Dieu sont importants, il y a aussi ceux envers autrui qu'un enfant résuma en ces termes :

— Ne faites pas aux truites ce que vous ne voudriez pas qu'on vous fît.

Quant à savoir qui est notre prochain, ce n'est pas si simple. Le bulletin paroissial de Sorges, en Dordogne, raconte qu'une religieuse qui commentait la parabole du bon Samaritain, demanda :

— Voyons, mes enfants, qui est notre prochain ?

— Notre prochain, c'est le bébé, répondit un des enfants.

Etonnée, la religieuse demanda une explication et l'enfant précisa :

– Oui, maman dit : « J'attends mon prochain. »

Un père de famille expliquait à son fils :

– Nous sommes au monde pour aider notre prochain.

Le gosse réfléchit un instant, puis demanda :

– Et notre prochain alors, il est là pour quoi?

Catholique ou protestante, la religion apprend aux enfants qu'ils sont tous égaux devant Dieu. C'est ce que la gouvernante de la future reine Elizabeth d'Angleterre expliqua un jour à celle-ci :

– Même ma grand-mère Mary? demanda Elizabeth.

– Certainement.

– Alors je ne pense pas qu'elle en soit très contente.

Sans doute ladite grand-mère était-elle du genre de Madame, fille de Louis XV. Celle-ci se croyait d'essence tellement supérieure qu'un jour, examinant les mains de sa bonne, elle s'exclama d'un air surpris :

– Tiens, vous avez cinq doigts comme moi!

Le dimanche, il y a la messe. Une petite fille de quatre ans, qui voyait entrer des gens dans une église, demanda à sa mère :

– Où est-ce qu'ils vont?

– Faire leur prière, dit sa mère.

– Oh! dit l'enfant d'un air choqué, comme ça, tout habillés!

Tandis qu'un petit garçon qui, devant une autre église, assistait à la sortie d'un mariage demanda :

80

– Papa, plus tard, les femmes on vous les donne ou on les prend?

Un autre petit garçon, qui était allé pour la première fois à la messe, dit à sa grand-mère :

– J'avais promis d'être très sage, alors quand une dame est passée avec un plateau plein d'argent, je lui ai dit : « Non merci, madame. »

Les rites de la messe sont en effet choses compliquées pour des gosses. Une Marie-Thérèse de six ans et son frère avaient l'habitude, chaque fois que le prêtre disait « Kyrie eleison », de se pencher sous leur chaise et de chercher quelque chose.

Un jour, la mère intriguée demanda des explications.

– Ben, expliqua Marie-Thérèse, quand le curé dit : « Il crie le hérisson », nous, on le cherche.

Erreur d'interprétation à rapprocher de celle d'une petite fille de quatre ans qui demandait pourquoi son oncle curé disait toujours : « Mais ça coule pas, mais ça coule pas. » (alias *mea culpa*, bien entendu).

★

La Bible est le dernier élément de l'éducation religieuse des enfants, puisque comme a dit l'un d'eux : *Le Dieu des Juifs est encore utilisé de notre temps.*

Cela commence par *Adam et Adèle* qui, à en croire un gosse, *se promenaient la main dans la main sur les Champs-Elysées.* Hélas! un jour Adam mordit dans la pomme. Mais, comme le dit un autre gosse, *il avait des excuses : il n'avait pas de couteau.*

Cela me rappelle l'histoire de deux jeunes cousines, Suzette et Jany, qui s'étaient un jour déguisées en Adam et Eve pour une réunion d'enfants. Passe mon grand-père qui demande :

– Voyons, Eve, consentez-vous à devenir l'épouse d'Adam, ici présent ?

Et Eve de répondre :

– Il faut bien, il n'y en a pas d'autre.

Par la suite, il y eut plus de choix. Comme l'écrivit un élève du lycée municipal de Strasbourg : *On compte aujourd'hui plus de 500 sexes différents par suite de la libre interprétation de la Bible.*

Je ne sais pas à quelle secte appartenait mon oncle Poil, mais, à l'âge du catéchisme, il affirmait que *tous les Juifs, au moment de la Pâque, doivent manger un agneau de quarante ans.*

Un autre enfant disait que, pour les Israélites, le jour de repos s'appelait *le jour du tabac.*

Ce qui était quand même moins mal pensant que ce devoir d'instruction religieuse : *Moïse était le fils de la fille du pharaon d'Egypte. Seulement comme la princesse avait peur de se faire gronder par son père, parce qu'elle n'était pas mariée, elle a raconté qu'elle avait trouvé Moïse dans un panier, au milieu des roseaux. Pour ne pas faire d'histoires, le pharaon a fait semblant de la croire.*

Il y a plus extraordinaire encore et vous serez peut-être étonnés d'apprendre que, comme son nom l'indique, *la Toussaint, c'est un saint qui tousse,* et que, toujours comme leur nom l'indique, on appelait Patriarches *les fils de Noé, parce qu'ils avaient leur patrie dans l'Arche.*

Je vous rappellerai aussi le nom du pape, tel que l'énonça un petit Parisien :

– Cent vingt-trois.

Le précédent, comme chacun sait s'appelait Pie XII et cela fit beaucoup pleurer une de mes belles-sœurs, lorsqu'elle avait quatre ans. Elle s'appelait en effet Inès Pia et croyait que cela signifiait qu'on la marierait un jour avec le pape.

J'allais oublier de parler du Père Noël, élément important de la mythologie à l'usage des bons enfants. Il y a, bien sûr, quantité de « mots » à son sujet, mais je préfère raconter une histoire. Celle du Père Noël qui se rend chez un psychanalyste et qui lui dit :

– Docteur, je suis ennuyé, je ne crois plus en moi.

Peut-être parce que les enfants croient de moins en moins en lui.

Et ça continue!

— Tu as fait quelques mots d'enfant, cette semaine? demandait récemment mon frère à sa fille Brigitte.

— Et toi, répondit-elle, tu as fait des mots de père?

Brigitte a raison et il n'est pas possible d'écrire un ouvrage sur les mots d'enfants sans parler des mots de parents. Un des plus célèbres est celui d'Yves Mirande disant à son rejeton qui faisait les quatre cents coups :

— Ce n'est pas parce que tu es le fils d'Yves Mirande qu'il faut te croire tout permis!

Autre mot mais dont l'humour est involontaire :

— Maman, demandait un petit garçon, est-ce que je peux aller voir l'éclipse du soleil?

— Bien sûr, répondit la mère, mais ne t'approche pas trop.

Un autre gosse, au début du siècle, montrait à sa mère la Victoire de Samothrace et la Vénus de Milo.

— Dis, maman, demandait-il, qui a abîmé ces statues?

— Ce sont les Prussiens, cher enfant, ne l'oublie jamais.

Plus récemment, une jeune et ravissante jeune fille annonçait à l'auteur de ses jours :

– J'ai rencontré un producteur qui trouve que je suis mieux que Brigitte Bardot. Il veut me lancer.

– Si tu fais du cinéma, je te tue.

– Mais, papa, je prendrai un pseudonyme.

– Alors, je vous tuerai tous les deux!

J'espère que ma mère ne m'en voudra pas de terminer par un mot d'elle :

– Je suis à Bordeaux, est-ce que je peux venir déjeuner? lui téléphonait un de ses frères.

– Oui, mais apporte quelque chose.

– Quoi?

– Ce que tu voudras. Pour le reste, nous avons tout ce qu'il faut.

Il y a aussi de nombreuses histoires de parents étourdis, la plus célèbre du genre étant celle d'Einstein qui, un jour, dans un tramway, perdit ses lunettes. Une petite fille les ramassa et Einstein la remercia beaucoup, demandant pour finir :

– Comment vous appelez-vous, ma petite?

– Clara Einstein, papa.

Si cette histoire est vraie, Clara Einstein aurait presque pu dire comme Alexandre Dumas fils :

– Mon père est un grand enfant que j'ai eu en naissant.

Ce mot pourrait s'appliquer à bien des parents. Heureusement la plupart des enfants savent se montrer indulgents. Quant aux autres, eh bien, il faut espérer qu'ils pardonneront demain ce qu'ils reprochent aujourd'hui.

Qu'ils n'oublient pas, ces enfants intransigeants, que plus tard, eux aussi, seront des parents pas forcément meilleurs. Comme le dit La Crique, à la fin de *la Guerre des boutons* :

– Dire que, quand nous serons grands, nous serons peut-être aussi bêtes qu'eux.

Après les mots de parents, il faudrait citer les mots de grands-parents. Dans mon vieux carnet noir, j'ai retrouvé cette histoire : Un jour, ma tante Marthe et ma grand-mère (très « ravageuse » de Jacques Faizant) cherchaient un taxi.

– Pitié! Un taxi pour ma mère qui a quatre-vingts ans, criait ma tante.

Et ma grand-mère furieuse de grogner :

– Tu n'as pas besoin de dire mon âge!

Sur le même carnet, j'avais noté aussi un mot de belle-mère, rapporté par ma tante Thérèse. Jeune mariée, elle avait été invitée à prendre le thé dans sa belle-famille.

– Maman, demanda Gaby, la jeune fille de la maison, quels gâteaux dois-je apporter? Les meilleurs ou les moins bons?

Belle-maman hésita une seconde, puis répondit :

– Ceux qui sont dans la boîte rouge.

Puisque nous sommes au stade des histoires de grand-mères, il faut que je raconte celle de la vieille dame qui vient, pour la première fois, à Paris et qui, pour la première fois, prend un taxi. Celui-ci a son clignotant cassé et le chauffeur est obligé de sortir, de temps en temps, le bras par la portière pour indiquer ses changements de direction.

Au bout d'un moment, la vieille dame se penche et dit :

– Ecoutez, mon ami, occupez-vous de votre volant. Moi, je vous préviendrai dès qu'il commencera à pleuvoir.

Il y a aussi la merveilleuse histoire de la dame qui entre chez un antiquaire et explique qu'elle cherche une console pour sa fille qui est meublée en...

– Je ne me souviens pas très bien, dit-elle, si c'est du Louis-Philippe ou du Philippe-Auguste.

Sans oublier le mot de cette vieille marquise de cent deux ans à qui l'on avait offert une paire de draps pour son anniversaire et qui les rangea en haut d'une armoire en disant :

– J'en ai d'autres, je garde ceux-là pour plus tard.

Il n'y a pas que les grand-mères, il y a aussi les grands-pères. Mon grand-père Mellerio était très très bavard. Collectionneur et critique d'art, il avait selon son expression été piqué par la tarentule préhistorique. Traduction : lors de ses vacances, en Dordogne, chez ses filles (ma tante Thérèse et ma mère), il ramassait des cailloux préhistoriques et se passionnait pour nos lointains ancêtres.

Les cultivateurs le regardaient d'un air soupçonneux, mais il les rassurait ou croyait les rassurer en disant :

– Je cherche ce que d'autres ont perdu.

Plus encore que ramasser des pointes de flèches ou des grattoirs, mon grand-père aimait parler de ses recherches. Quand il avait fini avec le magdalénien et le moustérien, il passait à Louis XIV et au château de Marly-le-Roi à côté duquel il habitait. Une heure plus tard, il en était aux nabis, peintres dont il avait été l'ami et un des premiers supporters. Ensuite, il bifurquait sur la politique intérieure ou internationale, mais en général l'interlocuteur (nous disions « la victime ») avait fui avant.

Un jour mon grand-père, retour d'une promenade à travers la campagne, dit :

– Je suis passé par la Latière (1) et je me suis fait

_____

(1) La Latière est une clairière, en pleine forêt de la Double, où ont lieu, chaque année, plusieurs foires célèbres. A l'origine c'était un rendez-vous de voleurs.

un vieil ami. Un homme plein de bon sens et qui, ma foi, a une conversation très intéressante.

Sur quoi il décrivit son interlocuteur et tout le monde éclata de rire :

— Paternel, dit mon oncle Marcel, le vieux Breton de la Latière ne sait pas un mot de français.

★

Mon panorama des mots à travers les âges (si je puis dire) ne serait pas complet sans quelques paragraphes consacrés aux starlettes. Bien sûr, on ne prête qu'aux riches et certaines de ces histoires ont été fabriquées pour les besoins de la cause mais, comme disent les Italiens, *se non è vero, è bene trovato.*

Une authentique d'abord : celle de la starlette qui se piquait de s'intéresser à la politique et qui me déclara :

— Je ne comprends pas comment il peut y avoir des gens qui refusent la force de frappe. Car enfin si un gouvernement ne peut plus frapper lui-même sa monnaie, ce sera la gabegie financière.

Une autre de ces charmantes demoiselles entra dans un magasin d'antiquités pour s'enquérir du prix d'un vase vu en vitrine. Le vase n'était pas bon marché. La starlette en demanda la raison.

— Mademoiselle, lui dit l'antiquaire, songez que ce vase a trois mille ans!

Furieuse, la belle s'écria :

— Vous, les antiquaires, quels menteurs vous faites! Un vase de trois mille ans? Et nous ne sommes qu'en 1962!

Ces adorables petites ne craignent même pas d'être intellectuelles. Ainsi celle qui affirma que le romancier russe qu'elle préférait était Tolstoïevski.

Il ne faut pas imaginer cependant que les perles soient l'exclusivité des starlettes. Bien d'autres jeunes filles méritent, elles aussi, d'être épinglées à mon collier. Celle par exemple qui demandait un jour chez un disquaire :

— Donnez-moi *la Mer*.

— De Debussy ou de Charles Trenet? interrogea la vendeuse.

— Je ne sais pas. Quel est celui des deux qui chante le mieux?

Ce qui vaut bien cette dame écrivant à la radio, pour se plaindre d'un speaker qui avait vanté les mérites d'un cycle Mozart : *C'est une honte de faire ainsi de la publicité pour une bicyclette!*

Une autre fort belle perle d'inculture m'a été racontée par le directeur d'une grande agence de publicité. Il avait, en 1945, une bonne qui était une partisane farouche de l'épuration. Un jour, elle entra au moment où la fille de la maison finissait de réciter une leçon d'histoire :

— Alors, Ravaillac fut exécuté...

— Ah! s'écria la terrible soubrette, c'est pas trop tôt. On l'a eu enfin celui-là.

Parfois la perle atteint à la philosophie. Je pense par exemple à une brave paysanne qui racontait un jour à sa voisine :

— J'avais une truie. Vous l'avez vue, ma truie? Pôvre! La plus belle du pays. Et voilà que ce matin je la trouve raide morte!

A quoi la voisine, compréhensive et grave, répondit :

— Ce que c'est que de nous, quand même!

Bien sûr, la perle peut être due parfois à un vire-langue, ainsi cette jeune (et charmante) cousine qui m'a dit :

– Moi, j'ai été opérée des hannibals...

Tandis que ma nièce Indiana (18 ans) déclara :

– Hier soir, j'ai bu de la volga.

Et quelques jours plus tard :

– Si je meurs, je veux être incendiée.

Ce qui ne vaut quand même pas la bonne dame disant :

– Ma fille sait plusieurs langues, une vraie troglodyte.

Ou une autre :

– Ce que j'aime chez vous, c'est votre living-route.

Les messieurs aussi n'ont pas toujours le mot qu'il faut. Ainsi ce directeur de prison affirmant, lors d'une interview à la télévision :

– Mon métier est captivant.

Toujours au rayon des hommes, si je puis dire, ce petit dialogue entendu l'été 1962, à l'hôtel *Miramar* à Biarritz. Jean, le barman, venait de dire au chef :

– Préparez-moi deux club-sandwichs dont un sans mayonnaise.

– Lequel ? demanda le chef.

J'ai par la suite raconté cette histoire dans je ne sais plus quel journal et le premier à en rire fut le chef.

– Je tâcherai de faire mieux la prochaine fois, dit-il.

En revanche, je suis moins sûr que les héros de cette dernière histoire riraient si je citais leur nom. Un homme d'affaires, appelons-le X..., était devenu directeur d'un grand journal, mais n'était pas tout à fait au courant des techniques de fabrication. Un jour, il convoqua son rédacteur en chef et lui dit :

– Cette photo est bien mauvaise. D'où vient-elle ?

– Nous l'avons eue par belino.

– Belino, Belino, dit X..., qu'est-ce que c'est que ce photographe à la gomme? Flanquez-le-moi à la porte.

Le rédacteur en chef expliqua alors qu'il s'agissait d'un procédé de transmission des photos à distance, et l'incident fut clos.

Quelque temps après, le rédacteur en chef raconta l'histoire à la directrice d'un autre journal. Celle-ci hocha la tête et dit :

– Moi, voyez-vous, je lui aurais donné sa chance à ce pauvre Belino.

LA NOUVELLE
FOIRE AUX CANCRES

Préambule

Je me suis demandé, pendant quelque temps, pourquoi *la Foire aux cancres* avait eu plus de succès que *les Perles du facteur*. La solution m'a été fournie par un de mes amis : « C'est qu'il y a plus de cancres que de facteurs. »

Je ne pensais pas cependant donner si vite une suite à *la Foire aux cancres* (1). Mais de nombreux lecteurs m'ont écrit pour me communiquer leurs réserves de perles et je me suis bientôt trouvé à la tête d'un tel stock que j'aurais pu faire deux livres comme celui-ci. J'ai préféré effectuer une sélection sévère afin de ne présenter que les perles du plus bel orient.

Outre ces sympathiques lecteurs, je dois des remerciements à mes confrères qui, à l'occasion de critiques de *la Foire aux cancres*, ont publié quel-

---

(1) J'avais pensé un moment à appeler ce livre *Vingt cancres après*, mais le titre n'a pas plu à mon éditeur. Il n'a pas voulu non plus de celui que m'avait proposé Jean-Paul Grousset : *Dictionnaire des idées suggérées par les mômes.*

ques perles inédites, en particulier dans *la République du Centre.*

Mais *la Foire aux cancres* n'était pas seulement une « machine à rire », c'est pourquoi un journaliste n'a pas hésité à demander que l'on ajoute mon livre à la liste des manuels scolaires, tandis qu'un autre proposait que l'on fasse de moi un ministre de l'Education nationale. Pas moinsse !

Tous mes confrères n'ont cependant pas été aussi enthousiasmés par mes idées sur la réforme de l'enseignement et j'ai essuyé également quelques sarcasmes et même quelques injures. Mais après tout chacun a le droit d'aimer ou ne pas aimer un livre.

La pire des accusations a été portée contre moi par mon ami Gilbert Robin. Il affirma, en effet, à qui voulait l'entendre que je hantais les jardins publics, en disant aux gosses :

– Si tu ne me fais pas une perle, je te casse ton cerceau.

En tout cas, je ne casserai pas le cerceau du linotypiste du *Bien public* de Dijon. En effet cet aimable journal avait publié quelques extraits de *la Foire aux cancres* parmi lesquels celui-ci :

Dans le monde entier, les centenaires sont fêtés et honorés. Malheureusement, parmi eux, la moralité *est assez forte.*

Alors que bien entendu il fallait lire *la mortalité,* mais comme le fit remarquer un spirituel rédacteur, dans le numéro suivant : *Une coquille au milieu des perles, cela reste tout à fait dans le ton.*

A noter que les coquilles ne sont pas toujours involontaires. Un de mes confrères m'a raconté que, lorsqu'il était secrétaire de rédaction d'un grand quotidien belge, il devait faire exprès des fautes dans les noms des ennemis politiques de son patron. Bien entendu, ceux-ci étaient furieux. Tant il est vrai que l'on n'aime jamais voir écorcher son nom... à commencer par moi qui suis agacé chaque fois que l'on écrit Jean-Charles sans trait d'union.

Ma mère, elle, a été vexée parce que je m'étais plaint qu'elle ne m'ait pas appris assez de calcul. *Je ne déteste pas du tout les maths, sauf la géométrie,* m'écrivit-elle. Dont acte, dont acte, ma chère maman.

Les mères ont d'ailleurs souvent des réactions imprévues. C'est ainsi que celle de Simone de Beauvoir n'a, paraît-il, reproché qu'une chose à sa fille : d'avoir écrit dans *les Mémoires d'une jeune fille rangée,* qu'elle couchait dans un lit en faux ancien.

La publication de *la Foire aux cancres* m'a aussi permis de découvrir l'existence d'un autre Jean-Charles. Il est vrai que, lui, c'était son prénom. Chanoine à Commercy, il publiait dans *le Meusien* de Bar-le-Duc de courts billets dont le moins que l'on puisse dire est qu'ils n'avaient rien à voir avec le genre de choses que j'écrivais.

Je lui ai envoyé mon livre pour lui prouver *qu'à la foire il y a plus d'un âne qui s'appelle Jean-Charles,* et il m'a répondu fort aimablement en me proposant de fonder une amicale des Jean-Charles. Pourquoi pas?

J'ai découvert aussi une série de Jean Charles, sans trait d'union. Un Belge, d'abord, qui publia, il y a quelques années, un recueil de nouvelles, intitulé *Marie la simple,* mais qui depuis a décidé de signer Jean-Bernard Charles.

Ensuite un sympathique reporter de la Radio suisse qui fait avec talent dans la chanson et qui me promit de changer de nom. Ceux qui savent à quel point je chante faux ne risquent cependant guère de le confondre avec moi.

Etant du genre petit buveur, je pense que l'on ne me confondra pas non plus avec le mystérieux personnage qui publia, sous le pseudonyme de Jean Charles, un livre intitulé : *J'étais un alcoolique* (1).

Enfin et bien que ce soit un peu plus dans mes cordes, je ne suis pas non plus l'auteur du docte ouvrage sur *les Débuts du mouvement syndical à Besançon : la Fédération ouvrière (1891-1894)* qu'un professeur d'histoire du nom de Jean Charles a publié tout récemment.

A la réflexion, devant cette avalanche d'homonymes, je me demande si ce n'est pas moi qui devrais changer de nom. En tout cas, ce n'est à aucun de mes homonymes mais bel et bien à moi, Jean-Charles, qu'un gosse posa cette question :

— C'est vous qui avez fait la chanson du *Carnaval à Maubeuge* ?

J'espère que Pierre Perrin ne sera pas vexé... Il est vrai qu'on lui demande peut-être s'il est l'auteur de *la Farce aux cancres*.

(1) Je ne citerai qu'en note et pour mémoire un roman édité à Alger, intitulé *Annette* et signé Jean Charles (encore!) qui, vu son contenu, a dû être saisi pour attentat aux bonnes mœurs et même aux moins bonnes. Le véritable auteur m'en est, lui aussi, resté inconnu.

Imbécile de Charlemagne!

Un petit Bordelais du nom de Patrick s'embrouillait un jour dans les retenues de ses opérations. Au point qu'excédé il finit par s'écrier :

– Imbécile de Charlemagne qui a inventé les écoles!

Le mot est authentique et, après tout, ce petit Bordelais n'a fait que résumer ce qu'Alexandre Dumas fils et Mme de Girardin écrivaient au siècle dernier.

Comment se fait-il, se demandait le premier, *que les petits enfants étant si intelligents, la plupart des hommes soient si bêtes? Ça doit tenir à l'éducation!*

J'ai remarqué, disait de son côté Mme de Girardin, *que tous les enfants sont, jusqu'à l'âge de douze ans, de profonds observateurs du cœur humain : ils comprennent tout, ils devinent tout, ils sont effrayants; rien ne leur échappe... Et puis de douze à vingt ans, je ne sais pas ce qu'on leur fait, mais ils deviennent tous des imbéciles!... J'attribue cela aux bienfaits de l'éducation. C'est une épidémie, il n'y a que les paresseux qu'on sauve.*

L'accusation est grave mais je crains bien, hélas! qu'elle ne soit souvent justifiée. Les bienfaits de l'éducation sont en réalité des méfaits, à croire que l'on cherche réellement à abrutir les élèves. Comme me l'a écrit une sympathique institutrice en retraite de Montargis :

– *Je suis de votre avis pour un élagage sérieux de l'enseignement. Quel cauchemar pour moi quand je devais faire passer, de ma tête dans celle des gosses, la valeur actuelle et la valeur nominale d'actions et d'obligations dont ni elles ni moi n'avions le maniement; et les intérêts composés et les allocations familiales et les centimes additionnels des budgets communaux. Quelle folie de torturer ainsi de pauvres cervelles.*

Mais, comme me l'a dit un vieil avocat de mes amis, homme cultivé s'il en fut :

– Heureusement, dans sa haute bonté, la Providence a donné aux enfants la paresse pour les défendre contre les grands.

Ce que Tristan Bernard a résumé dans une formule célèbre :

– Pascal enfant combattait les maux de tête par la géométrie. Moi, au même âge, je combattais la géométrie par les maux de tête.

Cette façon de se défendre ne date pas d'aujourd'hui, si j'en juge par l'anecdote qu'Antoine Le Metel d'Ouville racontait dans un de ses contes, il y a quelque trois siècles :

Un enfant pleurait à fendre l'âme aux pieds de sa mère. Celle-ci, agacée, lui demande la raison de ses cris.

– C'est que, dit l'enfant, mon précepteur veut me faire dire « A ».

– Et pourquoi ne le dites-vous point?

– C'est que je n'aurai pas sitôt dit « A » qu'il voudra me faire dire « B ».

Tristan Bernard mit tout de même plus de temps à se défendre, puisqu'il confia à son fils Jean-

Jacques qu'entré à quatorze ans, au lycée Fontanes, il fut premier à la première composition.

– Mais, ajouta-t-il, cette place me grisa tellement que je m'endormais sur mes lauriers et qu'un tel succès ne se renouvela pas.

Certes, il faut se méfier des gens arrivés qui se prétendent d'anciens cancres parce qu'ils trouvent cela drôle. Ces gens mis à part, il y a suffisamment de vrais anciens cancres qui ont réussi pour que l'on puisse se dire qu'un fils qui ne fiche rien n'est pas forcément une catastrophe. C'est pourquoi je me console très bien de voir que mon Jérôme de fils n'est pas un foudre d'études.

Peu importe après tout qu'il soit un peu en retard. Le mot de Capus : « Il est arrivé mais dans quel état » s'applique, à mon avis, autant aux Rastignac en mal de réussite parisienne qu'aux lycéens.

Passer son bachot à quatorze ou quinze ans est peut-être un exploit, mais c'est aussi une dangereuse imprudence et mieux vaut (quand on peut) faire redoubler un enfant que de le bourrer de leçons particulières. Sauf bien sûr lorsqu'il ne comprend rien à une matière et qu'il a besoin de ce petit coup de pouce qui assure les bons démarrages.

En tout cas, si Jérôme s'affirme dans la cancrerie, je ne m'écrierai pas comme le père de Forain :

– Mon fils est un petit cancre. Il ne sait rien et passe son temps à crayonner... Il me donne bien du souci...

Einstein, le père de la théorie de la relativité était, paraît-il, jugé par ses professeurs comme *nettement inférieur aux autres élèves de sa classe.*

Alexandre Dumas qui fut lui aussi un cancre avait un truc. Il forçait la cassette où son professeur rangeait ses traductions de latin. Et le professeur, un vieil abbé, s'étonnait toujours :

– Pourquoi cet enfant est-il si fort en version et si faible en thème?

Les forts en thème, eux, ne sont généralement pas plus fiers pour ça. C'est ainsi qu'à soixante-dix ans, Maurice Leblanc, le père d'Arsène Lupin, déclarait :

– J'avais tous les prix et je proclame avec un romantisme conscient que c'était déplorable.

Quant à Sacha Guitry, chacun sait qu'il a fait douze sixièmes. Ce dont il se félicita dans le discours qu'il prononça pour le cinquantenaire du lycée Janson-de-Sailly. Il le fit de cent lignes exactement, expliquant au proviseur qu'il s'agissait de celles qu'il refusa, quarante ans plus tôt, à un de ses prédécesseurs :

Le lycéen parfait
Celui-là qui n'a fait
Qu'un seul collège dans sa vie,
On le convie
Au banquet des anciens élèves, du lycée
Evidemment où sa jeunesse s'est passée,
Mais ça ne fait qu'un seul repas par an.
Un seul hélas puisqu'il n'a fait qu'un seul lycée,
Tandis que moi que de partout l'on a chassé,
Exemple déplorable et terreur des parents,
Moi, j'ai douze repas par an
Qui me sont assurés...

Sacha Guitry ne fut cependant pas toujours chassé, comme le prouve l'anecdote suivante dont les héros étaient Lucien Guitry, père de Sacha, et M. Prax, proviseur :

– Monsieur, disait celui-ci, j'ai conçu le projet de

renvoyer de chez moi monsieur votre fils... mais hélas! cela m'est impossible.

– Pourquoi? répondit Lucien Guitry. Si vous ne pouvez pas le garder, tant pis; que voulez-vous, mettez-le dehors!

– Mais je ne peux pas, monsieur. Je ne peux pas le mettre dehors... il n'est pas rentré depuis cinq jours!

Ce qui était pour Sacha le meilleur moyen de terminer enfin sa sixième.

★

Mon oncle Poil a déclaré qu'à son avis « les perles de *la Foire aux cancres* étaient de mon cru à 80 % ». C'est me faire bien de l'honneur et si j'avais inventé tout cela j'aurais été sacrément génial. Comme me l'a écrit Marcel Achard : *La bêtise humaine dépasse la pauvre invention des auteurs comiques.*

Si je suis d'accord avec Marcel Achard sur le principe, je ne le suis pas sur l'emploi du terme « bêtise ». La plupart des cancres sont en effet loin d'être bêtes et c'est fort justement qu'un aimable professeur en retraite m'a écrit : *Je vous chicanerai votre titre; les mots qui déclenchent le plus sûrement notre hilarité sont le fait d'enfants qui ne sont pas obligatoirement des cancres, mais des enfants dont l'univers est borné par les limites mêmes de l'enfance et qui y rapportent, pour le comprendre à leur mode, tout ce qu'ils entendent, pour la bonne raison que ce qu'on leur enseigne est, sous la forme pédagogique, au-dessus de leur comprenoire.*

Je ne pense pas cependant que ce soit une raison suffisante pour renoncer au mot cancre. Simplement, il ne faut pas lui donner un sens trop péjoratif. Un cancre c'est en définitive un élève pas comme les autres et, s'il commet des perles, c'est moins de sa faute que de celle des programmes.

Ceux-ci ont d'abord le grand tort d'être beaucoup trop tournés vers le passé et de ne pas expliquer suffisamment aux enfants ce que sont la vie et les préoccupations des hommes d'aujourd'hui.

Car enfin pourquoi obliger les élèves à apprendre des choses que leurs parents ont oubliées depuis longtemps et que sont seuls à connaître quelques spécialistes? Bien sûr, il y a aussi les professeurs mais, comme disait Jean Rigaux, ils n'ont même pas besoin de savoir tout ça puisqu'ils ont le livre.

Le livre encore, faut-il l'avoir... Je me souviens de ma première classe, lorsque je devins professeur dans une institution privée (1) de Bordeaux. Je devais enseigner l'histoire et la géographie en première, l'anglais en sixième, le français, l'histoire, la géographie et la géologie en quatrième. Tout cela était sans difficultés graves pour moi, excepté la géologie. Or, il se trouve que ma première classe fut justement un cours de géologie.

— Apportez-moi votre livre, demandai-je à un élève.

— Je ne l'ai pas encore, m'sieur.

— Et vous?

— Moi non plus, m'sieur.

— Qui en a un?

Je dus me rendre à l'évidence. Personne n'avait de livre et moi je n'avais pas ouvert un manuel de géologie depuis ma quatrième. Heureusement j'avais passé trois quarts d'heure à noter les noms des élèves et à donner des instructions générales, mais parler ne serait-ce que dix minutes de quelque

(1) Je passai ensuite dans l'enseignement public, en devenant répétiteur, autrement dit « pion », au collège de Blaye, en Gironde.

chose que j'avais totalement oublié, c'était encore trop.

– Voyons, demandai-je, y a-t-il un redoublant?

Un grand frisé, en blouse grise, leva le doigt :

– Moi, m'sieur.

– Allez au tableau et dites-moi quelle est l'expérience célèbre qui se trouve au début du cours de géologie.

Je me demande pourquoi on l'avait fait redoubler, car il se mit sans hésiter à dessiner un globe terrestre et se lança dans une longue explication qui dura neuf minutes. J'étais sauvé.

– Parfait, dis-je, et comment appelle-t-on cette expérience?

Mon redoublant ne savait pas. Toutes les têtes se tournèrent vers moi.

– Eh bien! dis-je, c'est l'expérience de Kepler.

Je n'ai jamais su depuis si c'était ça, car j'appris pendant la récréation que l'on m'avait chargé par erreur du cours de géologie.

Heureusement, car il est toujours très difficile d'enseigner les matières pour lesquelles on n'éprouve aucun intérêt. En revanche, c'est une joie d'essayer de faire partager sa passion à ses élèves. A condition de savoir être intéressant, ce qui n'est pas si simple.

Le directeur d'une importante aciérie m'a raconté qu'il avait en 1924, à Laon, un professeur de français qui était un précurseur des méthodes audio-visuelles. Quand il faisait un cours sur Ronsard, il apportait un disque de poésies dites par un grand acteur. Il avait aussi un appareil à projection et ne perdait jamais une occasion d'illustrer son cours.

Ce professeur intelligent comprenait même très bien qu'il y ait des élèves qui ne soient pas dans le coup. Au point que le dernier de la classe était autorisé à remettre ses narrations sous forme de dessins.

Le drame, c'est qu'en 1963 il existe encore des professeurs trop cancres pour moderniser leurs cours ou qui se satisfont du fait que les cinq ou dix meilleurs de la classe profitent de leur enseignement. Or un pédagogue digne de ce nom doit être compris du maximum d'élèves. Pour cela, il n'y a aucune honte à se faire aider par les images d'un livre ou d'un film.

L'enfant est tout yeux : ce qu'il voit le frappe plus que ce qu'il entend. C'est Georges Colomb qui écrivait cela, en 1895, dans la préface d'un manuel de *Leçons de choses en 650 gravures.* Des gravures aussi amusantes, aussi attrayantes que celles des célèbres livres qu'il signait Christophe et dont les héros étaient la famille Fenouillard, le savant Cosinus ou le sapeur Camember.

Georges Colomb, qui fut un des précurseurs des bandes dessinées et du dessin animé, aurait certainement été un farouche partisan de la télévision scolaire dont je m'étonne encore qu'elle ait tant de peine à s'imposer.

★

Il arrive parfois que, tel un simple cancre, un professeur commette des perles. Bien sûr, il s'agit le plus souvent d'un vire-langue, comme dans ces deux exemples que je dois au *Club des perles* du lycée de Saint-Cloud :

– Beethoven a eu à vingt-cinq ans les premiers symptômes de l'absurdité.

– Dans l'ère secondaire, il y a le trias, le jurassique et le crustacé.

D'autres professeurs ont une façon de présenter

les choses qui, dans la bouche d'un cancre, ferait crier à la perle. Maurice Genevoix a cité un jour, à la radio (1), quelques exemples de ce genre dus à un professeur d'histoire du nom de Meuriot :

– L'Assemblée constituante se composait de trois moitiés dont l'une, le tiers, était égale à la somme des deux autres.

– Le fusil à piston ainsi nommé parce que le chien frappe sur une amorce.

– Elle habitait boulevard Malesherbes : elle avait par conséquent soixante-treize ans.

En revanche la perle est plus flagrante dans ces phrases dues à d'autres professeurs :

– Il y avait trois partis dans Rome et César avait un pied dans chacun d'eux.

– Ce fut l'étincelle qui fit déborder le vase.

– Si je ne l'ai pas dit, je le répète.

La plus belle perle que je connaisse n'est cependant pas due à un professeur de lycée mais au moniteur d'auto-école qui apprit à conduire à Jehanne.

– Dans ce cas, disait-il, vous ne devez jamais débrayer. Vous avez bien entendu : Jamais avec un grand G.

On peut citer aussi le mot, des centaines de fois renouvelé, du professeur qui n'a pas fini son cours, quand la cloche sonne, et qui empêche les élèves de sortir en disant!

– La cloche, ici, c'est moi!

Ou encore ce motif de punition porté sur un cahier de retenues : *Profite de ce que j'ai le dos tourné pour me rire au nez.*

---

(1) Au cours de l'émission de Jean Forest et Emmanuel Robert, *Potaches et labadens*, qui devint ensuite un livre écrit en collaboration avec Paul Guth et Maurice Toesca (Ed. de la Table ronde).

Mais l'humour des professeurs n'est pas toujours involontaire. Je pense à celui, très chahuté au demeurant, qui disait à ses élèves :

– Pourquoi changez-vous de place ? Le sage est bien partout.

Un autre, réveillant un élève endormi, lui dit :

– Alors, vous ouvrez à quelle heure ?

Il y a aussi la vieille histoire, pas forcément authentique, de cet inspecteur qui visite une petite école de campagne dont les élèves sont particulièrement nuls. A la fin, excédé, il demande à l'un d'entre eux :

– Deux et deux ?

– Cinq.

– Vous voyez, dit l'instituteur d'un air encourageant, il n'est pas passé loin (1).

Mais la plus spirituelle réplique de professeur reste, selon moi, celle de cet examinateur du siècle dernier à qui un monsieur important recommandait son fils :

– Ménagez-le, disait-il, il est si timide.

Et le professeur, avec un sourire un peu sarcastique, demanda :

– Timide, en quoi ?

Car on peut être un des grands de ce monde et avoir des enfants parfaitement demeurés. Ce fut le cas, par exemple, pour le fils de Buffon dont Rivarol disait :

– C'est le plus pauvre chapitre de l'Histoire naturelle de son père.

Sans doute était-il du niveau de ce candidat

---

(1) La même histoire a été publiée récemment dans *Pourquoi pas ?*, avec cette seule différence qu'au lieu de « deux et deux » l'inspecteur demandait « trois et deux ». C'est ce que l'on pourrait appeler une antiperle.

particulièrement ignare dont un examinateur disait :

— Avec ce qu'il ne savait pas, j'avais de quoi refuser au moins quatre candidats ordinaires.

Bien sûr, il arrive parfois que :

$$0 + 0 + 0 + 0 = 10$$

mais ne soyons pas méchants. Les fils à papa en faveur de qui l'on brave les lois de l'arithmétique sont assez rares pour que l'on ne perde pas de temps à s'indigner.

Si les examinateurs ont quelquefois de l'humour, les élèves n'en manquent pas non plus. Ainsi ce candidat à qui un examinateur demandait la différence entre la justice et la charité et qui répondit :

— La justice, c'est ce que vous pratiquerez en me donnant la moyenne et la charité, ce que vous pratiquerez en me donnant une note supérieure à la moyenne.

De temps en temps, l'humour frise le mauvais esprit. Dans *Claudine à l'école*, Colette a raconté une histoire qui, si elle n'est pas authentique, est cependant digne de l'être :

— Vous oubliez d'abaisser les zéros, dit Mlle Sergent à Claudine.

A quoi celle-ci répond :

— Il faut toujours abaisser les zéros, ils le méritent.

Ce qui lui attire un furieux : « Pas de traits d'esprit, ici. »

Autre humoriste en herbe, Courteline, alors qu'il était encore l'élève Moinaux, n'eut pas plus de chance avec son professeur :

— Je porte, disait celui-ci, le triangle ABC sur le

triangle A'B'C' et je constate qu'il coïncide exactement... Vous trouvez ça drôle, monsieur Moinaux?

– Je trouve ça absurde. Je prends le Soleil, je le
pose sur la Lune et je constate que ces deux
circonférences coïncident exactement... Qu'est-ce
que ça prouve?

– Sortez!

C'est d'ailleurs le même Courteline qui écopa
d'un zéro le jour où on lui demanda de citer un
fermier général et où il répondit :

– Cincinnatus.

Humoriste en herbe, Alphonse Allais le fut aussi.
A son professeur de philosophie qui se plaignait des
imperfections de l'homme, il dit :

– Bah! C'est peu de choses si on songe à l'époque
à laquelle il a été fait.

Mais cette réponse ne fut pas plus appréciée que
celle de l'élève anonyme à qui son professeur avait
ordonné : « Prenez la porte » et qui demanda :

– Et où est-ce que je la mets, m'sieur?

L'humour des gosses atteint parfois à un haut
degré de finesse. Un jour, une institutrice avait
demandé à ses élèves d'apporter une poire pour la
classe de dessin. Il faut préciser que ladite institutrice était une farouche adversaire de la religion et
de ses représentants. C'est pourquoi un des élèves
crut bon de lui demander :

– Est-ce qu'on peut amener une poire de curé?

Les cancres sont presque toujours ceux dont les
répliques sont les plus drôles. Ainsi celui-ci qui était
du genre indécrottable.

– Quand je pense, disait l'instituteur, que tu sais
tout juste compter jusqu'à dix! Si tu continues à ne
rien apprendre de plus, qu'est-ce que tu feras plus
tard?

– Je serai arbitre de boxe.

Histoire que l'on peut rapprocher de celle d'un élève qui, comme punition, avait eu à décliner douze fois « je suis nul en français... » Le lendemain il apporta son travail :

– Mais, dit l'instituteur, tu n'as décliné que six fois ton verbe.

– C'est que, m'sieur, je suis aussi très nul en calcul.

Edouard Herriot fit encore mieux dans le genre. Il avait un professeur qui parlait toujours à la première personne du pluriel.

– Nous ferons cent lignes pour demain, dit-il un jour au jeune Herriot.

Le lendemain, celui-ci n'apportait que cinquante lignes.

– Il en manque la moitié, dit le professeur.

– Oui, monsieur, la vôtre, puisque vous aviez dit que nous ferions cent lignes.

Parfois la réplique frise l'insolence :

– Je suis en plein Paris, dit l'instituteur, je creuse un trou. Si je continue, où vais-je me retrouver?

– A l'asile, répondit le cancre de la classe.

Un autre instituteur demandait :

– Comment appelle-t-on un homme qui parle sans intéresser personne?

– Un instituteur, répondit un élève.

De l'insolence à la révolte, il n'y a qu'un pas. Celui-ci fut franchi récemment par un élève de Bergerac, en Dordogne. Le professeur tonnait contre ses élèves. Soudain l'un d'eux se leva et dit :

– Soyez pas si arrogant! Sans nous, qu'est-ce que vous feriez pour vivre (1)?

---

(1) A rapprocher de cette légende d'un dessin de Poulbot : *S'il n'y avait pas des sales gosses comme nous, vous seriez en chômage.*

Mais après tout, comment veut-on que les élèves aient du respect pour des professeurs dont ils savent qu'ils sont plus mal payés que la moyenne de leurs parents? Etonnez-vous après cela qu'un élève du lycée de Talence, en Gironde, à qui son professeur avait confisqué *la Foire aux cancres*, lui ait dit d'un air furieux :

– C'est parce que vous n'avez pas les moyens de vous l'acheter.

Rentrés chez eux les cancres ne perdent rien de leur superbe. L'un d'eux, par exemple, annonçant triomphalement :

– Ce matin, le maître m'a dit : « Cette fois tu es le premier! »

Les parents stupéfaits demandent :

– Premier en quoi?

– Premier à me lever pour aller en récréation.

Mais la réplique la plus admirable est celle du petit garçon qui a dit d'un air très satisfait :

– Ça a bien marché pour moi en classe, aujourd'hui.

– Bravo! dit la maman, raconte-moi ça.

– Eh bien, le professeur a voulu me mettre au coin mais les quatre étaient déjà occupés.

Un autre gosse, à qui sa mère demandait comment était l'examinateur, répondit :

– Très pieux!

– Comment ça, très pieux?

– Oui, chaque fois que je faisais une réponse, il disait en levant les yeux au ciel : « Mon Dieu! Mon Dieu! »

Un cancre redoutable, que son père avait rossé pour ses mauvaises notes, dit en essuyant ses larmes :

– Moi qui croyais que tu serais fier d'avoir un fils qui ose rentrer chez lui avec un bulletin pareil.

Naturellement, il y a la manière de présenter les choses. Celle-ci est classique mais adroite :

– Maman, tu connais la dernière ? demandait un jour une petite fille à sa mère.

– Non.

– Ben, c'est moi.

On peut essayer de faire des remontrances aux enfants, quand ils sont derniers... quitte à s'entendre répondre qu'il en faut bien un. On peut essayer aussi, comme cette mère, de prendre son fils par l'orgueil :

– Si j'étais à ta place, j'aurais honte, à ton âge, d'être dans une classe avec des tout petits.

– Mais, maman, je suis content quand je vois ces petits qui sont fiers d'être dans la même classe que moi.

Parfois, la réplique est encore plus percutante :

– A ton âge, disait un père à son fils, Napoléon était toujours premier de sa classe.

– Oui, mais à ton âge Napoléon était déjà empereur des Français.

Que font donc les cancres en classe ? L'un d'eux à qui l'on posait cette question, au XIXe siècle, répondit :

– J'attends qu'on sorte.

A la même question, un autre écolier, celui-là du XXe siècle, répondit avec une belle sérénité :

– J'apprends à grandir.

Tandis qu'un troisième déclara :

– L'école, c'est pas mal, mais je trouve qu'il y a trop de temps morts entre les récréations.

La plus jolie réplique est probablement celle de la petite fille à qui l'on demandait pourquoi elle n'allait pas à l'école et qui répondit :

– Parce que je ne sais pas lire.

Qu'on le veuille ou non, il faut pourtant aller à

l'école. Ce fut le cas d'une autre petite fille. Le soir, sa mère lui demanda comment ça s'était passé :

— Bien, maman, mais j'étais inquiète. Tu comprends c'est la première fois que je te laissais seule.

Pour les anciennes, en revanche, pas de problème, même quand on change d'institutrice. Ainsi Nicole (six ans) qui expliqua à sa mère :

— Si tu savais comme mademoiselle est gentille ! Elle est douce, elle ne gronde pas trop, elle a de beaux cheveux blonds et s'appelle Marie.

Après une minute de réflexion, Nicole ajouta :

— Mais elle n'est pas vierge.

Le "who's who" des cancres

– Quand je rentre dans une classe et que je constate qu'on y lit, écrit et compte, je suis satisfait. Le reste, je m'en fiche.

C'est un vieil inspecteur primaire qui tenait ces propos, au début du siècle et l'instituteur en retraite qui me les communiquait ajoutait :

– On a bien dépassé cette sagesse et je déplore la surcharge imbécile des programmes.

Certes, les enfants d'aujourd'hui sont les premiers à vouloir apprendre autre chose que lire, écrire et compter, mais hélas! ce qui les intéresse n'est pas toujours dans les programmes. Et une fois de plus, la prolifération des perles reste la preuve que rien ne va comme il faut (1).

C'est pourquoi, au lieu de me perdre en longues digressions sur l'art et la manière d'enseigner l'histoire, j'ai préféré établir un dictionnaire des célébrités, autrement dit une sorte de *who's who* cancrier. Il permettra de se rendre compte que l'on est loin du vieux conseil d'Ernest Lavisse : *A l'école primaire,*

---

(1) Quelques années après la parution de ce livre, les perles sont devenues moins nombreuses, ce qui ne signifia pas que l'enseignement allait mieux. Je remercie en tout cas ceux qui ont continué à m'envoyer des perles (Mon adresse : La Cancrerie, 91490 Milly-la-Forêt).

je voudrais que l'on raconte l'histoire aux élèves comme un grand-père raconte une histoire à ses petits-enfants (1).

Bien sûr, en grandissant, les élèves doivent dépasser le stade de l'anecdote. Mais il faut alors que l'histoire soit moins une nomenclature (« une pagaille de rois », comme je disais étant gosse) qu'une source de comparaisons permettant de mieux comprendre ce qui se passe aujourd'hui. Aussi l'histoire contemporaine me paraît-elle plus importante que celle des siècles lointains.

Un de mes anciens condisciples, ou plutôt son frère, m'a écrit : *L'école est faite pour y apprendre des choses inutiles.* Oui, mais pas n'importe lesquelles. Je préférerais en effet que l'on enseigne la vie et l'œuvre des grands peintres ou des grands musiciens plutôt que les guerres de Napoléon ou le détail des classes sociales, à Rome, au temps de Cicéron. Car la culture, la vraie, doit aider à apprécier un concerto, un tableau, un poème ou même simplement un bon western.

En attendant que ça change, voici donc ce *who's who* des cancres dans lequel l'histoire des siècles lointains tient beaucoup plus de place que celle des cent dernières années, ce qui ne les empêche pas d'être aussi truffées de perles l'une que l'autre.

— Ce qu'il y a de plus heureux pour les historiens, disait Aurélien Scholl, c'est que les morts ne puissent protester.

Après tout, cela vaut aussi pour les cancres et ils peuvent se consoler en pensant qu'ils ne risquent pas de procès en diffamation. Même pas l'élève qui

---

(1) En 1984, j'ai publié aux éditions Calmann-Lévy *l'Histoire vue par les cancres* et dessinée par Henry Blanc. Cette B.D. est une bonne façon d'apprendre l'histoire en riant.

écrivit : *L'histoire est très utile, sans elle, on ne saurait pas que l'Obélisque a été fait avec le bronze des canons pris par Napoléon à Waterloo.*

Cela dit, je précise que, dans mon *who's who* comme dans les chapitres suivants, j'ai rectifié les fautes d'orthographe qui ne présentaient aucun caractère de drôlerie. En outre, j'ai cru bon de séparer par un tiret les perles de cancres différents figurant dans le même paragraphe. Enfin j'ai fait suivre de (a) les perles traduites de l'allemand.

J'ajoute que, comme il s'agit d'un dictionnaire cancrier, je me suis permis quelques fantaisies. C'est ainsi, par exemple, que Jeanne d'Arc se trouve à J et non à A.

ALGÈBRE : *Femme d'Euclide.*

APOLLON : *Dieu grec qui vivait en Mythologie.*

BACH (Jean-Sébastien) : *Ce grand musicien a écrit une messe en zut mineur.*

BALZAC (Honoré de) : *Auteur de* la Comédie française.

BARDOT (Brigitte) : *Philosophe existentialiste français moderne* (1).

BAYARD : *Chevalier sans cœur et sans reproche.*

BISMARCK : *Ministre des P.T.T. du roi de Prusse, il falsifia un télégramme (d'où la guerre de 1870).*

(1) Cette réponse a été donnée à l'université de Chicago, aux examens de la fin du premier semestre 1959. La question n'était d'ailleurs pas : « Qui est Brigitte Bardot? » mais : « Citez un philosophe existentialiste français moderne. »

BLÉRIOT (Louis) : *Seul homme à avoir traversé la Manche le premier.*

BOSSUET : *Ordonnateur des pompes funèbres de Louis XIV.*

BOUDDHA : *A passé la majeure partie de sa vie à Budapest d'où le nom de cette ville.*

CARNOT (Lazare) : *Organisa les armées de la nation et leur permit ainsi de remporter la victoire. En témoignage de reconnaissance, la République décida de donner son nom à une ville de France : Concarnot.*

CARTIER (Jacques) : *Célèbre rédacteur de* Paris-Match.

CATHERINE DE RUSSIE : *Mérita bien sa réputation de séminariste du Nord.*

CAVOUR : *Ministre de Victor-Emmanuel qui était très intelligent et très plénipotentiaire.*

CÉSAR (Jules) : *La planète Mars lui fut fatale. Il y fut assassiné et mourut de congestion.*

CHAMPOLLION : *Il déchiffra les langues mortes des momies.*

CHARLEMAGNE : *Coureur cycliste. – Son père s'appelait Parapluie. – Charlemagne envoyait dans tout son royaume des Mississippi. – Il aimait les écoliers, c'est pourquoi il se fit couronner en l'an 800, date facile à retenir* (1).

(1) Un autre élève à qui l'on demandait : « Qui fut couronné empereur en l'an 800 ? » répondit : « Charlie Gaul. »

CHARLES MARTEL : *Maire du Pas-de-Calais qui vainquit les Arabes à Poitiers.*

CHATEAUBRIAND (François-René de) : *Ecrivit après sa mort* les Mémoires d'outre-tombe.

CHOPIN : *Il était timide, aussi son premier amour à dix-neuf ans ne fut qu'un amour platonicien.*

CHRISTOPHE COLOMB : *Il inventa l'Amérique. – En le voyant arriver, les nègres s'écriaient : « Ciel, nous sommes découverts »* (1).

CIRCÉ : *Magicienne qui fit boire aux compagnons d'Ulysse un breuvage qui les rendit cochons.*

CLAUDEL (Paul) : *Auteur de* Jeanne au boucher.

CLOVIS : *Roi des anciens francs. – Il fut élu roi à quinze ans. Il venait d'avoir son certificat d'études. – Lorsqu'il fut baptisé, saint Rémi lui dit :* « Baisse la tête, fier concombre » (2).

COLBERT : *Il créa des canaux, en élargit d'autres, créa des ponts et des voies de chemin de fer. – Il fit installer au Canada des comptoirs par une compagnie d'assurances.*

CORNEILLE (Pierre) : *Il a changé de nom et s'est appelé Cornélien quand il a commencé à s'occuper d'héroïsme.*

(1) Ce texte est d'un élève d'Alain-Fournier. Ce dernier était en effet un grand amateur de perles.
(2) Jules Renard cite, dans son *Journal*, cette phrase d'une brave femme : *Baisse la tête comme Pierre Sicambre.*

CURIE (Marie) : *Inventa la radiodiffusion. – Aidée de son mari a découvert le minium rétroactif.*

DE GAULLE : *Ancien général qui s'occupe de la France pendant ses loisirs* (1).

DURUY (Victor) : *A créé le premier lycée de filles publiques.*

ETIENNE MARCEL : *Fut assassiné par Colin Maillard.*

EUGÉNIE DE MONTIJO : *Naquit en wagon au cours du déraillement du premier Paris-Compiègne, dans les bras de Prosper Mérimée qui en écrivit* la Chute d'un ange (2).

FERRY (Jules) : *Acteur de cinéma qui a joué avec Arletty dans* les Visiteurs du soir. *– Il fut pigeon voyageur pendant la guerre de 70. – Il a donné son nom à un boulevard, il a fait un lycée et des enfants pour mettre dedans. – Aviateur, il a traversé le premier l'Atlantique. A sa dernière traversée, il est tombé dans la mer.*

FRÉDÉRIC III DE PRUSSE : *Il obtint la couronne royale par un traité de lèse-majesté.*

GAMBETTA : *Pendant le siège, il quitta Paris en ballon captif.*

GARY-BALDY : *Premier grand acteur de cinéma italien.*

---

(1) Cette phrase est d'un candidat à un examen d'entrée dans un établissement financier belge.
(2) Cette perle est due à un concurrent du Rallye Carven, organisé sur la côte basque par Jean de Faucon, en 1962.

GESTE : *Poète du Moyen Age, auteur des chansons qui portent son nom.*

GODEFROI DE BOUILLON : *Prêcha la Première croisade avec Pied de Marmite. – Il mourut quand il n'y a plus eu de bouillon. – Au Moyen Âge, quand les gens partaient pour la Croisade ils étaient presque certains qu'ils reviendraient morts.*

GORGONES (les) : *Les Gorgones étaient trois sœurs qui avaient, en guise de cheveux, de longs serpents, pour dents des défenses, et des griffes au bout des doigts. Elles ressemblaient à des femmes mais en plus horribles encore* (1).

GRACQUES (les) : *Romains qui étaient les amis de la plèvre.*

GUILLAUME LE CONQUÉRANT : *A conquis l'Angleterre avec l'Armée du Salut.*

HANNIBAL : *Avant de partir pour l'Australie, fit fusiller ceux qui ne voulaient pas le suivre. – Il fut victorieux au lac de Trasimène où il enferma le consul Flaminius ouvert en un seul endroit. – Finalement il fut vaincu par Scorpion l'Africain. – Après la défaite de Zama, il s'enfuit en bikini.*

HENRI IV : *Roi de Navarone qui devint roi de France. – Il portait toujours un apanage blanc. – Son cheval était de race blanche.*

A propos de de Gaulle, il faut que je cite un mot de ma nièce Blandine, d'ailleurs pas cancre du tout. Sa mère venait de lui expliquer ce qu'était la Gaule, quand elle demanda :
– Puisque la Gaule s'appelle maintenant la France, pourquoi le général de Gaulle ne s'appelle-t-il pas le général de France ?
(1) Ce texte a été cité, dans *Noir et Blanc*, comme étant d'Henry de Montherlant à l'âge de dix ans.

HERCULE : *Héros de la météorologie.*

HÉTÉROCLITE : *Le plus grand philosophe avant Aristote.*

HOMÈRE : *On ne sait pas exactement si, comment, où, quand et pourquoi il fut né (a). – Il écrivit* l'Iliade *et* l'Odyssée *qui racontent les aventures d'Ulysse et de Jadis.*

HORACE : *L'événement le plus important dans sa vie fut la date de sa mort en 65.*

HUGO (Victor) : *Né en 1850, mort en 1930* (1).

INGRES : *Peignit surtout des femmes. C'est pourquoi on a pu dire :* « *Ce cochon d'Ingres.* »

ISABELLE LA CATHOLIQUE : *Femme de Louis Aragon.*

JEANNE D'ARC (2) : *Elle est née à domicile. – Elle fut appelée Jeanne d'Arc parce qu'elle ne savait pas se servir d'une arbalète. – Elle entendit des voix qui l'appelaient à faire son service militaire.*
Elle fit la guerre aux Anglais parce qu'ils lui avaient pris ses moutons. – A Compiègne, elle délivra Reims. – Elle s'empara d'Orléans en 1429; ce n'est que beaucoup plus tard qu'elle devint pucelle.
Les Anglais mirent Jeanne d'Arc sur un gros bûcheron. – Ils lui firent beaucoup de taquineries. – Elle mourut vive sur la place du Bon Marché. – Les

---

(1) Cette réponse a été faite à Roger Ikor, par un candidat à l'oral du bachot.
(2) A la question : « Qu'a pris Jeanne d'Arc ? », un élève répondit :
– M'sieur, je sais, elle a pris feu.

Français furent désespérés : ils n'avaient plus de pucelle.

JEANNE HACHETTE : *Héroïne française qui donna son nom à une célèbre librairie.*

JOSÉPHINE DE BEAUHARNAIS : *Pour se débarrasser d'elle, Napoléon l'a enfermée dans la malle-maison.*

KANT : *Philosophe célèbre par son apéritif catégorique.*

KARL MARX : *Grand comique du cinéma allemand mort récemment.*

KROUCHTCHEV : *Inventeur de la choucroute* (1).

LA FAYETTE (2) : *Ingénieur qui a construit les galeries qui portent son nom. – Il lança, par la fenêtre de l'Hôtel de Ville, le futur Louis-Philippe en criant : « La meilleure des républiques, la voici. »*

LAMARTINE (Alphonse de) : Le Lac *et le* Crucifix *lui furent inspirés par son amour pour Mme Jean-Charles* (3).

LOUIS XIII : *Mari d'Anne d'Autruche.*

LOUIS XIV : *Mari de Médicis. – Arrière grand-père*

(1) Cette perle est due à ma nièce Dominique (onze ans) qui m'a expliqué que la chose lui paraissait normale, « puisque la Russie est le pays où l'on mange le plus de choucroute. »
(2) Appelé aussi La Layette.
(3) Cette perle a été commise, en décembre 1962, par une élève de première du lycée Hélène-Boucher. Je précise que je n'ai aucun lien de parenté avec Jacques-Alexandre Charles, célèbre physicien que son Elvire d'épouse trompait allègrement avec Lamartine.

malgré lui, Louis XIV n'ayant pas eu d'enfants, c'est son arrière-petit-fils qui lui succéda.

LOUIS XV : *Fils d'Elizabeth d'Arden. – Sa favorite était Mme de Pompidou* (1).

LOUIS XVI : *N'ayant plus d'argent il réunit les états généreux. – En 1793, il mourut de terreur sur l'échafaud.*

LOUIS XVIII : *Il a gagné toutes les batailles parce qu'il avait un excellent général : Napoléon.*
Les trois Glorieuses sont les trois qui vivaient avec Louis XVIII.

LOUIS-PHILIPPE : *Après la révolution de février 1848, il fut plébiscité empereur sous le nom de Napoléon III.*

LUCULLUS : *Général romain qui aimait surtout les nouilles.*

LUTHER : *Charles Quint le condamna à la diète et, pendant ce temps, il fut enlevé.*

MAINTENON (marquise de) : *Les jeunes filles qu'elle élevait à Saint-Cyr étaient des jeunes filles pur sang.*

MAHOMET : *Inventeur des Musulmans. – Les Musulmans doivent adorer les dogmes et célébrer le jeu du Ramadan. – Pendant le Ramadan, ils jeûnent deux fois par jour. – La Bible des Musulmans se nomme le Kodak.*

(1) *La Tribune de Genève* a reçu une lettre d'une lectrice suisse s'étonnant qu'un Pompadour ait pu être nommé Premier ministre en France. « Alors, ajoutait-elle, pourquoi avoir fait la Révolution ? »

MÉNÉLAS : *Agamemnon et Ménélas étaient frè-res, mais on n'en est certain que pour le premier des deux* (a).

MERCURE : *Fils de Jupiter, inventeur du thermomè-tre qui porte son nom.*

MILLERAND (Alexandre) : *La différence entre Louis XIV et Alexandre Millerand c'est que Louis XIV mettait une couronne et Alexandre Millerand un chapeau.*

MIRABEAU : *C'est le premier qui a traversé la Man-che sur un avion.*

MOLIÈRE : *Maîtresse de Madeleine Béjart, deviendra plus tard la femme de sa sœur ou de sa fille dont lui-même est peut-être la fille. – Auteur de la célèbre pièce* Miss Anthrop.
L'Eglise n'accorda à Molière l'extrême-onction que huit jours après sa mort.

MUSSET (Alfred de) : *Il a écrit une œuvre au sujet des quatre mois : mai, août, octobre et décembre. Ce sont des conversations avec sa cornemuse.*

MUSSOLINI : *Il prit le pouvoir en Italie avec l'aide des Chaussettes noires.*

NAPOLÉON Ier : *C'était le directeur du Directoire. – Il épousa en premières noces Joséphine Baker.*
Napoléon ne pouvant se rendre lui-même en Egypte y envoya Bonaparte. – Celui-ci voulut aller battre les Moujiks aux Pyramides qui l'attaquèrent. – Il remporta la victoire de Sainte Jeanne d'Arc.

En Italie, Napoléon fut vainqueur à Arcole et Ravioli.

Il voulait mettre toute l'Europe dans l'hexagone français – mais sa carrière se termina par un coup violent reçu à Trafalgar.

PALISSY (Bernard) : *Inventa l'art des défaillances. – Pour faire cuire ses plats, il brûla jusqu'à sa femme et ses enfants. – En brûlant son armoire, il découvrit les briques et les prêtres réfractaires.*

PASTEUR : *Il a fait une potion qui fait crever les rats et des dictées pour les élèves. – Il créa les microbes, il eut aussi le mérite de les peindre pour qu'on les distingue sur les photographies.*

PONCE PILATE : *Inventeur de la pierre ponce.*

ROBESPIERRE : *C'est celui qui passe avec Jean-Marc Thibault* (1). *– Il inventa la terreur. – Bien qu'athée, Robespierre était protégé par Saint-Just.*

RONSARD : *Auteur du vers fameux :* Mignonne, allons voir s'il arrose...

ROUSSEAU (Jean-Jacques) : *Plaça à l'assistance publique les enfants qu'il avait eus d'un aubergiste.*

SAINT-LAZARE : *Président du Portugal.*

SAINT-PIERRE ET MIQUELON : *Faisaient partie des bourgeois qui se sacrifièrent pour sauver Calais.*

---

(1) Un autre élève a affirmé « avoir vu Robespierre au cinéma avec Jean-Marc Thibault ».

SAINT-SIMON : *Fut parmi les premiers chrétiens martyrisés dans l'arène* (1).

SCHUBERT : *Il n'a jamais gagné beaucoup d'argent. Personne ne le connaîtrait aujourd'hui s'il n'avait pas composé de la musique* (2).

SÉVIGNÉ (marquise de) : *Elle naquit en 1636, mais ce n'est que beaucoup plus tard qu'elle épousa M. de Sévigné.*

SHAKESPEARE : *A écrit des tragédies et des comédies. L'une de ces dernières se nomme* la Veuve joyeuse du duc de Windsor.

SOCRATE : *470-399 avenue Jésus-Christ.*

SPARTE : *Artiste et littérateur athénien.*

SULLY : *L'une de deux mamelles de la France – Il fut prudent et sage d'où son nom de Sully Prudhomme.*

TALLEYRAND : *Acteur boiteux qui jouait toujours des rôles de diables. – Au début du règne de Louis-Philippe, il fut exhumé de ses cendres et envoyé à Londres.*

TÉLÉMAQUE : *Fils du Lys.*

ULYSSE : *Roi d'Irak.*

---

(1) D'après un autre cancre, le même supplice fut infligé à Saint-Saëns.
(2) Est-il besoin de préciser que ce texte est dû à un petit Américain ?

Vasco de Gama : *Il alla aux Indes et revint chargé d'épices.*

Vauban : *Célèbre fortifiant. – Il faisait des murs avec des angles* (1).

Vercingétorix : *Le cheval de Vercingétorix avait de grands cheveux sur son cou. Lui aussi. Autour de sa blouse, Vercingétorix avait une ceinture où il attachait toutes ses affaires. Il était jeune, éloquent et hardi. Il avait des bracelets en or et une culotte qui tapait sur ses souliers. Le jour qu'il est venu se rendre, César, le menton dans sa main, le regardait de travers. Personne ne faisait de bruit après que les armes furent jetées, rien que le cheval blanc qui tirait sur sa bride. Vercingétorix a dit : « J'ai pris les armes pour la liberté de tous », et s'est mis sur sa statue de la place de Jaude. C'était un Auvergnat, il voulait être libre* (2).

Vincent de Paul (saint) : *Il recueillait les enfants et les remettait aux sœurs Etienne.*

Vinci (Léonard de) : *Français qui ramassait les enfants pauvres.*

Virgile : *Jeune fille que Dante aimait.*

Voltaire : *Explorateur qui a découvert le boulevard qui porte son nom.*

---

(1) A la question : « Que savez-vous de Vauban ? » un élève a répondu : *Nos bancs sont un peu vieux, mais nous les aimons bien quand même.*
(2) Cité par Henri Pourrat et recité par Honoré Bostel dans *De quoi rire,* tome II (Ed. Julliard).

Arrivé à la fin de ce *who's who*, je m'aperçois qu'il me reste un petit stock de perles historiques inclassables par la méthode des personnages. Je les cite donc ici, par ordre chronologique, de façon à constituer une sorte d'abrégé de l'histoire de la civilisation :

Les premiers hommes vivaient dans des casernes et les deuxièmes hommes sur la page d'à côté.

Les hommes de la pierre polie tuaient les animaux dont ils tiraient le lin.

Les monuments préhistoriques sont les pyramides, les momies et les lynx.

Les pyramides étaient des tombeaux où l'on enfermait les morts avec de quoi vivre assez longtemps.

Sur les tombeaux étrusques, on sculptait les morts tout vivants.

A Rome, les gladiateurs se donnaient des coups d'épée n'importe où, sans savoir s'ils étaient morts ou vivants.

Les premiers chrétiens se cachaient dans les concombres.

Autrefois la France s'appelait la Baule. – Les Gaulois mangeaient des fruits sauvages et de la poterie.

Les rois fainéants étaient des rois qui ne faisaient rien et passaient leur temps allongés sur des laitières.

Au Moyen Age, les prêtres étaient célibataires de père en fils. – Les seigneurs tuaient les bœufs et c'est les cerfs qui tiraient la charrue. – Les villes étaient gouvernées par des écheveaux.

La fleur représentée sur le drapeau des rois était le trèfle à quatre feuilles.

Les Jansénistes suivaient la doctrine d'un évêque belge nommé Jean Zay.

Les philosophes du XVIII siècle s'inspirèrent des Grecs. Ils voyaient les bienfaits d'une société où tout le monde commande.*

Les Français ont fait la Révolution pour célébrer la prise de la Bastille. – Avant, il y avait trois ordres : le clergé, la noblesse et le tiercé.

Au temps de la Révolution, on vit un grand nombre de domestiques qui, plutôt que de trahir leurs maîtres, se laissèrent guillotiner à leur place et qui, les jours de calme revenus, reprirent silencieusement leur service.

Les régimes qui se sont succédé de 1815 à 1850 sont le régime végétarien et le régime lacté.

Avec le machinisme, de plus en plus l'homme est remplacé par le pistolet automatique.

Le brave soldat Séféro

Robert Beauvais m'a raconté qu'étant en sixième il répondit un jour à un professeur que son personnage historique préféré était le soldat Séféro.

Etonnement du professeur qui demanda :

— Où as-tu entendu parler du soldat Séféro ?

— Dans *la Marseillaise*.

Et le petit Robert de chanter :

Entendez-vous dans ces campagnes
Mugir Séféro, ce soldat...

Robert Beauvais n'est d'ailleurs pas le seul enfant à avoir cru à l'existence du soldat Séféro. En revanche, je ne pense pas que beaucoup de gosses aient annoncé à leur mère :

— Aujourd'hui, en classe, on nous a appris une chanson sur les seins.

— Quoi ?

— Mais oui, écoute : « Et les tétons, petit navire... »

Ma mère, elle, avait entendu, lorsqu'elle était toute petite, une chanson où un berger disait de sa dulcinée : « Mais la soupçonner quelle peine ! »

— Bien sûr, expliqua-t-elle, quand la soupe est

sonnée, ils sont obligés de se séparer; c'est pour ça qu'il a de la peine.

A dix ans, Simone Langlois chantait :

> Elle écoute la java,
> Son soufflet suspendu.

La conclusion de tout cela, car il faut bien une conclusion, c'est que l'on ne précise jamais assez aux enfants le sens des mots. Dans *le Loup et l'Agneau* : « Tu seras châtié » devient : « Tu seras charretier », parce qu'on a oublié d'expliquer le sens de châtier à un gosse qui, pour la même chose, dirait : « Tu seras puni. »

Ce qui est difficile pour de jeunes élèves français l'est encore plus pour des étrangers qui doivent prononcer, par exemple, « les poules du couvent couvent » ou « ses fils vendent des fils ».

Le sens des mots et la prononciation ne sont pas tout, il y a encore leur orthographe. Un journaliste demandait à son rejeton :

— Qu'est-ce que tu diras plus tard à tes amis pour t'excuser de faire des fautes?

— Je dirai comme toi, papa, que c'est encore le typo.

Réplique que l'on peut rapprocher de la définition célèbre de synonyme : Mot qu'on utilise à la place d'un autre mot dont on a oublié l'orthographe.

Les enfants ne s'en privent pas. Tel celui-ci à qui son père disait : « Je t'achèterai une bicyclette quand tu sauras écrire ce mot », et qui répondit :

— Alors, papa, je préfère un vélo.

Dans les dictées, pas question de faire appel aux synonymes. C'est pourquoi « les vautours nichent dans les rochers » devint : *les veaux tournichent dans les rochers*; « le courant d'une onde pure » : *le courant du nom de pure* et « la Mésopotamie » : *la maison Potamie.*

On vit même « la chapelle Sixtine » traduite par *la chapelle Sixteen.* Un élève abbevillois, probablement fils de cafetier, transforma « presbytère » en *presse-bitter*, tandis qu'une Nantaise de huit ans préférait *presse-vicaire.*

Une autre petite fille du même âge écrivit un jour : *Une coupe en or six œufs lait* (au lieu de ciselé).

— C'est toi qui fais le marché de ta maman ? lui demanda l'institutrice qui était une femme avisée.

— Oui, madame, parce que maman garde mes petits frères et sœurs.

— Eh bien ! dans ce cas, je te donne dix sur dix à ta dictée.

Lorsqu'on sait les prendre, les enfants ne rechignent pas au travail. Comme l'annonçait fièrement à sa mère ce petit garçon qui avait, pour la première fois, des verbes à conjuguer :

— Maman, il faut que je me dépêche. Ce soir j'ai à faire mes devoirs conjugaux.

Il est vrai que le fils d'une de mes amies a dit aussi : « Le travail c'est un amusement difficile. » En effet, tous les élèves ne comprennent pas immédiatement le truc des conjugaisons. Je pense à cette petite Danielle à qui sa maîtresse demandait :

— Quand c'est toi, tu dis : « je chante », et quand c'est ton père, que dis-tu ?

— Assez, répondit Danielle.

On pourrait citer bien des exemples de ce genre. Celui de la petite fille très gourmande à qui l'on dit de conjuguer « faire un gâteau et le manger » et qui écrit :

Je fais un gâteau et je le mange.
Tu fais un gâteau et je le mange.
Il fait un gâteau et je le mange...

Il y a aussi le petit Orléanais à qui l'on demandait l'imparfait du subjonctif de « cirer ses bottines » et qui écrivit :

Que je cirasse mes bottinasses,
Que tu cirasses tes bottinasses,
Qu'il cirasse ses bottinasses...

Il y a également le gosse à qui l'on avait dit de mettre à la forme passive : « Le docteur ausculte la malade » et qui écrivit : *La malade ausculte le docteur.*

Un autre élève devait mettre à l'impératif la phrase « le cheval tire la voiture ». Aussitôt dit, aussitôt fait, et il inscrit sur son cahier : *Hue.*

Il s'était donné moins de mal que l'élève à qui l'on demandait le sens de *impotent* et qui répondit :

– *Im :* préposition indiquant la négation...; *pot :* récipient en terre ou métal...; *ent :* suffixe qui signifie capable de. Par conséquent *impotent* signifie capable d'être mis dans un pot.

D'ordinaire les élèves vont rarement chercher si loin, comme le prouvera la lecture du petit dictionnaire cancrier que j'ai établi ici, sur le même modèle que celui que j'avais déjà présenté dans *la Foire aux cancres.* Puisse-t-il rendre service aux professeurs. Car, comme l'a dit fort justement mon ami Henri Crespi (1) : *Les perles sont utiles aux enseignants et aux auteurs de livres scolaires, pour leur donner une mesure de la compréhension et de la connaissance des enfants.*

(1) *Les Lettres françaises* (23/2/1956).

ANTIBIOTIQUES : *Habitants d'Antibes.*

ANTIDOTE : *Jeune fille sans dot.*

ANTIPODES : *Personnes qui ont les pieds dans le sens contraire des nôtres.*

ANTIQUAIRE : *Marchand de choses anciennement neuves.*

BAIN-MARIE : *Bain que l'on prend le 15 août en l'honneur de la Sainte-Vierge.*

BALCON : *Bal où vont ceux qui ne sont pas fins.*

BARBELÉ : *Homme qui porte la barbe.*

BICOQUE : *Chapeau à deux coques.*

BONBONNE : *Marchande de bonbons.*

BRASSERIE : *Usine où l'on fait des brassières pour les bébés.*

CAÏMANS : *Habitants de la ville de Cannes.*

CALE : *Lieu où logent les gens calés.*

CALORIE : *Arme des lâches.*

CAPITULATION : *Inauguration d'une capitale.*

CATALOGUE : *Dialogue de quatre personnages par écrit.*

CE : *Pronom administratif.*

CHAUMIÈRE : *Maison d'un chômeur.*

CHEVALET : *Petit cheval*

CHEVALIÈRE : *Femelle du cheval.*

CHÈQUE : *Chef arabe qui distribue de l'argent aux malheureux.*

CLERGÉ RÉGULIER : *C'est celui qui ne change pas, alors que le clergé séculier change tous les siècles.*

COGNE : *Fruit du cognassier.*

CONIFÈRE : *Monstre préhistorique qui mange du fer.*

CONTREBANDIER : *Celui qui lutte contre les bandits.*

CORPORATION : *Homme qui se porte bien.*

CRAPULE : *Femelle du crapaud.*

CYCLOTHYMIQUE : *Homme qui fait des livraisons à bicyclette.*

DICTATEUR : *Monsieur qui fait faire des dictées.*

ÉBULLITION : *Phénomène qui s'observe couramment dans les familles.*

ECTOPLASME : *Petit cataplasme qui ne pèse pas plus de cent grammes.*

ÉLEVAGE EXTENSIF : *C'est quand les vaches vont chez le voisin.*

ENTERREMENT EN GRANDE POMPE : *Enterrement qui se déroule très vite, vu que les personnes en deuil sont pressées à cause du rythme de la vie moderne.*

ÉPITAPHE : *Fête des rois.*

ÉPÎTRE : *Femme d'un apôtre.*

ESPAGNOLETTE : *Petite fille née de parents espagnols.*

EURATOM : *Mise en commun des ressources anatomiques.*

FAKIR : *Homme qui peut se suicider tout en restant vivant.*

FRONDE : *Instrument qui servait à lancer des pierres et qui avait été interdit par Mazarin qui le trouvait dangereux.*

FUNICULAIRE : *Cinquième doigt de la main.*

GALLO-ROMAINS : *Romains qui galopaient.*

GOURMANDER : *Se livrer à la gourmandise.*

HEBDOMADAIRE : *Chameau à deux bosses...*

HIPPODROME : *De* hippo *(cheval) et* drome *(bosse de dromadaire). Endroit où l'on se fait des bosses en tombant de cheval.*

HOMICIDE : *C'est quand un homme se tue dans sa propre maison.*

HORLOGE : *Montre qui ne se porte pas au poignet.*

HYPOTHÈQUE : *Vient de* hippo *(cheval) et* teck *(arbre en bois dur). Hypothèque signifie donc cheval de bois.*

JACOBINS : *Juifs descendant de la tribu de Jacob.*

LITIGE : *Lit moderne composé de tubes en métal.*

LOSANGE : *Petit oiseau.*

LOUPE : *Femme du loup.*

LUBRIFIANT : *Huile pour rendre les moteurs lubriques.*

MAISON D'ARRÊT : *Gare.*

MOCASSINS : *Enfants du sanglier.*

MOINEAU : *Fils d'un moine.*

ŒSOPHAGE : *Personne qui mange des œufs.*

OISIF : *Habitant de l'Oise.*

OMNIVORES : *Ceux qui mangent les hommes.*

PANIQUE : *Manque de pain.*

PATRIMOINE : *Moine très patriote.*

PÉTRIFIER : *C'est quand on fait la pâte à pain.*

PEUPLADE : *Lieu peuplé de peupliers.*

PIPETTE : *Tube de verre fermé aux deux extrémités par deux ouvertures.*

PNEUMONIE : *Maladie des pneus.*

POLYGAME : *Homme dont la femme a beaucoup d'enfants.*

POLYGLOTTE : *Homme qui a plusieurs glottes.*

PORC-ÉPIC : *Cochon qui a des arêtes.*

PORTES COCHÈRES : *Portes qui ferment les maisons où vivent les cochers.*

RACISME : *Etat du pain rassis.*

RAPIÈRE : *Petit trou sous une porte pour faire passer les rats.*

RATELIER : *Endroit où dorment les rats.*

REDINGOTE : *Petite vieille doublement folle.*

REMPARTS : *Animaux qui rampent.*

S'AFFRANCHIR : *Se coller un timbre sur le front.*

SABOTAGE : *Fabrique de sabots.*

SANS-CULOTTE : *Ainsi appelés parce qu'ils n'avaient pas froid aux yeux.*

SATIÉTÉ : *Sorte de sieste que l'on fait après le repas.*

SEPTUAGÉNAIRE : *Homme qui a sept enfants.*

SEVRAGE : *C'est quand on remplace le lait de la mère par celui d'une autre vache.*

SIRÈNE : *Fille qui chantait dans l'Antiquité pour tuer tous les maris qui passaient.*

SOPHISTES : *En Grèce, on appelait ainsi les admirateurs de la reine Sophie.*

SQUELETTE : *Homme qui n'a pas beaucoup de chair.*

TACTIQUE : *Contraire du tic-tac.*

TAULE : *Endroit où les bandits écoutent le violon.*

TÉLÉPATHIE : *Langage en code inventé par les Morses.*

TISSU CELLULAIRE : *Etoffe grossière fabriquée dans les prisons.*

TRANSHUMANCE : *C'est le transport des moutons, du pôle Nord au pôle Sud, en passant par l'équateur.*

TRIGONOMÉTRIE : *C'est quand une femme épouse trois hommes à la fois.*

VITAMINES : *Petites bêtes qui montent le long des salades.*

VOLT et **VOLTMÈTRE** : *Mots dérivés du nom de l'inventeur de l'électricité : Voltaire.*

Les têtes qui débordent

– Qu'est-ce que les Romains ont fait de plus difficile? demandait un jour un professeur à un élève de
sixième.

– De parler latin, m'sieur.

Que l'on se rassure, je ne vais pas écrire un
nouveau chapitre contre le latin. J'ai déjà dit, dans
la Foire aux cancres, tout ce que j'avais sur le cœur à
ce sujet, ce qui m'a d'ailleurs valu quelques belles
contre-attaques des fervents du latin. Je n'ai pas,
pour autant, changé d'avis et je continue à penser
qu'il est démentiel d'enseigner le latin, surtout à des
gosses de dix à douze ans qui savent à peine le
français et auxquels le latin n'apporte rien.

Si on ne supprime pas le latin, on pourrait au
moins le commencer le plus tard possible. Mais je
crois qu'il ne faut pas trop se faire d'illusions (1). En
France, les professeurs défendent leur os avec plus
d'âpreté que leur collègue de l'Université du Con-
necticut, aux U.S.A., qui, apprenant que le latin
serait remplacé par des cours de conduite automobile, déclara :

_____

(1) Depuis que j'ai écrit ces lignes, la place du latin a tout de même
beaucoup diminué dans l'enseignement français.

140

– La langue de Virgile n'est utile qu'aux poètes et aux juristes, tandis que tout le monde a besoin de savoir conduire une auto.

Non seulement le latin est inutile, mais il se pourrait même qu'il soit nuisible. Voltaire n'avait certainement pas tort d'écrire dans *Jeannot et Colin*, même s'il s'agissait d'une boutade :

– *Moi, monsieur, du latin! je n'en sais pas un mot, répondit le bel esprit, et bien m'en a pris; il est clair qu'on parle beaucoup mieux sa langue quand on ne partage pas son application entre elle et les langues étrangères. Voyez toutes nos dames, elles ont l'esprit plus agréable que les hommes; leurs lettres sont écrites avec cent fois plus de grâce; elles n'ont sur nous cette supériorité que parce qu'elles ne savent pas le latin.*

Il n'est pas question de renoncer à l'étude des langues étrangères dont l'utilité est de plus en plus grande, mais au moins pourrait-on supprimer le latin. Certes, celui-ci n'est pas le seul coupable de ces têtes qui débordent et les élèves qui préparent le bachot technique ont des programmes encore plus chargés que les latinistes. Or, il n'est pas normal qu'à quinze ans on travaille soixante ou soixante-dix heures par semaine.

Et que l'on aille pas me parler de la suprématie de l'enseignement français. Jacqueline Salmon et Rose Vincent affirment en effet (1) *qu'à un test de connaissances générales auquel ont répondu des jeunes de quatorze ans dans cinq pays, les Français arrivaient bons derniers derrière les Allemands, les Anglais et les Américains. En revanche, ils étaient largement en tête pour le dégoût de l'école.*

En outre, comme le rappelle Albert Ducrocq (2),

(1) *France-Soir* du 16/9/1962.
(2) *L'Express* du 13/9/1962.

au milieu du XIXe siècle, la France formait à elle seule presque autant d'ingénieurs et de chercheurs que le reste du monde. Mais en 1952, face à quinze mille ingénieurs anglais, les promotions françaises n'étaient pour l'année que de deux mille ingénieurs et onze cent soixante-cinq licenciés ès sciences.

La situation a été un peu redressée depuis, mais locaux et professeurs manquent encore terriblement. Comme si des milliers d'ingénieurs ne seraient pas une force de frappe plus puissante que quelques bombes ou fusées qui risquent fort de n'être utilisables que le jour où Russes et Américains commenceront à détruire les leurs. A moins que, ce dont je doute, ils ne se mettent à se les lancer à la tête; mais ce jour-là, nos deux ou trois petits machins auront l'air d'un pipeau égaré dans un orchestre symphonique.

Mieux vaut donc revenir aux perles qui sont tout de même quelque chose d'un peu plus réjouissant. Voici donc une petite encyclopédie cancrière :

LES MAMMIFÈRES

La baleine se distingue parmi les autres poissons par son format peu maniable. Avec sa graisse, on fait de l'huile de foie de morue.

Le bœuf a l'air triste et songeur; dans les livres sérieux, il est même traité de ruminant. – Entre le producteur et le consommateur, le bœuf est obligé de passer à travers sept personnes.

Les chameaux boivent jusqu'à vingt litres d'eau d'un seul coup et mangent même des boîtes de sardines.

Le pied du cheval se termine par un sabot en forme de fer à cheval.

Le cochon porte son nom de plein droit puisqu'il en

est un. – L'animal qui nous fournit le jambon est le charcutier.

Le lapin n'a pour se défendre que deux moyens : la fuite et la cachotterie. – Il se ronge les dents pour les empêcher de pousser.

Le lièvre est plus coureur que le lapin.

La laine du mouton est très utile, car c'est avec elle que l'on fait du coton.

La taupe se nourrit de verre blanc.

Le terre-neuve est un chien que les morutiers emploient dans les parages de Terre-Neuve pour pêcher la morue.

La vache allaite ses petits donc c'est un adjectif qualificatif. – Elle fait partie de la famille des beaux vidés. – La peau de la vache sert principalement à tenir toute la vache ensemble.

LES OISEAUX

De bonne heure, le matin, les poules commencent à pondre. Les enfants sages devraient suivre cet exemple.

Les rapaces sont des oiseaux qui ont le nez en bec d'aigle.

LES INSECTES ET LES VERS

L'abeille est un inceste utile.

Le hanneton a quatre yeux : deux myopes et deux presbytes, ce qui lui permet de voir à toutes les distances. – Pour détruire les hannetons, il n'y a qu'à couper l'arbre où ils vivent; alors, quand ils n'ont plus d'arbre, ils meurent.

Le pou a des bourrelets caoutchoutés qui rendent sa marche silencieuse.

La sauterelle est verte parce qu'elle mange de l'herbe.

Le ténia habite l'intestin de l'homme adultère; ses œufs sont expulsés dans l'espace vital. – Pour tuer le ténia, le meilleur moyen est de faire mourir de faim la personne qui le porte.

LES POISSONS
ET LES MOLLUSQUES

Les poissons nagent très bien. Ils possèdent plusieurs sortes de nageoires : les nageoires dorsales, les nageoires ventrales, les nageoires électorales.

L'hippocampe est un animal qui possède une queue répréhensible.

La seiche est un animal qui n'a pas de pieds distingués.

LES VÉGÉTAUX

La fleur se divise en quatre parties : la corolle, le calice, les étamines et le pastis.

Le phylloxera, le cholestérol et la bouillie d'avoine sont les maladies de la vigne.

Le houblon sert à faire de la bière blonde et le houbrun de la bière brune.

Le pin, le sapin et l'if sont des confrères.

Le sucre vient de Cannes. – Le sucre gandhi est ainsi dénommé parce qu'il vient des Indes. – Le sucre est facilement dissolu; le sel aussi.

Les petits pois poussent dans l'Ecosse.

Le coton est surtout produit en Australie par les célèbres moutons mérinos.

★

– Citez-moi les grandes villes du Piémont? demandait un jour un examinateur à un candidat bachelier.

– Naples...

– C'est un lapsus?

– Non, c'est un port.

On peut s'étonner qu'un candidat au baccalauréat ignore le sens du mot lapsus, pourtant bien des perles citées dans ce recueil sont le fait d'élèves plus près de dix-huit que de huit ans.

En revanche c'est presque une réponse d'homme que celle de ce petit garçon de sept ans.

– Qu'est-ce que c'est que ça? lui demandait sa jeune et jolie préceptrice en posant son doigt sur une carte de géographie.

– Ça, dit le gosse, c'est un bel ongle rouge.

Les professeurs de géographie sont habitués aux surprises. Je pense à une institutrice de Pau qui, un jour, avait décidé de faire sa classe sous les arbres de la cour. Au loin on apercevait les Pyrénées, avec quelques plaques de neige brillant au soleil.

– Que vois-tu là-bas? demanda l'institutrice à un tout petit.

– Des montagnes, madame.

– Et comment s'appellent-elles?

– Les Pyrénées, madame.

– Et que sont ces taches blanches?

– Du linge qui sèche, madame.

Mais reprenons la géographie par le commencement :

GÉNÉRALITÉS

La Terre tourne pour qu'il fasse pas trop chaud. — Elle tourne six mois dans un sens et six mois dans l'autre.

L'équateur est la ligne qui partage la Terre en cinq parties du monde. — Le pôle Nord touche un peu à l'équateur par sa pointe.

Un méridien est un grand cercle qui passe par les deux pôles, tout en restant parallèle à l'équateur.

GÉOGRAPHIE PHYSIQUE

Les accidents du relief s'expliquent par l'émotion.

Un fleuve irrégulier est un fleuve qui ne prévient pas quand il veut sortir.

La mer monte quand il pleut. — Le reflux, c'est quand la terre s'avance dans la mer.

CLIMATOLOGIE

Quand le temps est perturbé, il y a de l'astronomie dans l'air.

La météorologie décide le temps probable (1). *— Les principaux instruments météorologiques sont le baromètre, le thermomètre et le pifomètre.*

Le baromètre est un appareil constitué par un cheveu de femme blonde, avec un cadran à la partie

(1) A rapprocher de l'histoire de cette petite fille qui venait de casser le baromètre familial, quand éclata soudain un orage.
— Oh! maman, dit-elle, c'est de ma faute. J'ai cassé le baromètre et maintenant il fait le temps qu'il veut.

inférieure. – Parmi les sortes de baromètres, il y a le baromètre à mercure et le baromètre à hémorroïdes.

La direction du vent se mesure avec une pirouette.

LA FRANCE

La France compte quarante-trois millions et un demi habitants. – Elle a soixante-treize habitants au mètre carré.

En Champagne humide, les moutons donnent de la laine et en Champagne pouilleuse, ils donnent du coton.

L'élevage des moutons est décroissant faute de bergers; il faut en importer congelés d'Amérique.

En Normandie, on élève des vaches sérieuses. – Les belles prairies sont au bord de mer pour que les vaches aillent boire.

Le relief du Jura se caractérise par les monts et les veaux. – Dans le Jura, à la veillée, on fait des montres et des poteaux télégraphiques.

La principale industrie des Landes est la fabrication des huîtres à Arcachon.

Les Basques ont un célèbre jeu régional : la belote basque.

Le cirque de Gavarnie est le concurrent de Pinder et de Bouglione.

Lyon est le premier centre de martyrs, de vers à soie, et l'industrie automobile y a été implantée par les Grecs (1).

Le plus long affluent du Rhône est le troisième à gauche.

---

(1) A noter, comme le rappelle un autre cancre, que « toutes les grandes marques d'autos viennent de Paris, sauf Berlioz ».

La Loire se jette à Bordeaux. Elle reçoit le Petit Braquet et le Grand Braquet.

Je ne voudrais pas en finir avec la France sans rappeler une composition sur le Louvre dont j'ai déjà donné une phrase dans *la Foire aux cancres*. Il eût été dommage de ne pas citer intégralement ce texte :

Le Louvre fut construit par Bernard Palissy. Une aile fut brûlée pour chauffer le four afin de finir le reste qui fut superbement peint par Boileau.

Le Louvre n'est plus un château depuis bien long-temps. C'est un musée pendant la nuit et un magasin pendant le jour.

Il a été construit par des maçons d'art et des sculpteurs de première classe. C'est ce qu'on nommait autrefois un chef-d'œuvre.

Il ne faut pas le confondre avec les Tuileries qui sont un jardin fleuri plein de petites voitures et où siège le Sénat.

L'EUROPE

En Espagne, les fleuves coulent à sec (1). *On y fait la lessive à l'huile d'olive.*

Le Danemark exporte des charcutiers.

La Suisse se trouve deux pages avant la Suède.

Les grandes villes de Hollande sont Rotterdam et Amstramgram.

L'Italie a deux grands volcans : le Vénus et l'Attila.

Liège est une ville célèbre par ses bouchons.

Les Cyclades sont Vénus, Milo et Delbos.

(1) A rapprocher de cette remarque d'un humoriste espagnol : « Certains fleuves espagnols sont tellement étroits qu'ils n'ont qu'une seule rive. »

L'AFRIQUE

En Afrique on trouve à l'état naturel l'arbre à pain, l'arbre à beurre, l'arbre à fromage et l'arbre à lunch, ce dernier est surtout exploité par de puissantes sociétés anglo-américaines.

Les sacrifices humains ont presque complètement disparu. Pour amener les anciens indigènes anthropophages à se passer peu à peu de chair humaine on les a habitués à manger du singe.

En Afrique noire, on obtient de l'huile d'olive en écrasant des arachides.

Dans le désert, il y a les nomades et les sédimentaires. – Les morts mènent une vie sédentaire.

L'Algérie est un pays où on se livre à la culture de l'alpha, de l'oméga, du macaroni, des nomades, des citroëns, du buffle, du mufle, du tabac que l'on retire du caféier, ainsi qu'à l'élevage du ver à soie qui fournit le coton...

La Tunisie se trouve à peu près à égale distance des points les plus éloignés du globe.

Madame Gaspard est une île située dans l'océan Indien.

L'ASIE

La Syrie est un pays où l'on débite des planches.

Dans le Turkestan, on élève des yachts. Les habitants de ce pays recueillent les bouses (1) de leurs chameaux pour en faire soit du feu, soit des fromages.

(1) Ma secrétaire avait tapé « blouses ».

Les Mongols habitent des tentes qu'on appelle des Montgolfières.

Il y a six millions de Chinois dans le Formol.

Les Hindous portent des turbines sur la tête.

L'AMÉRIQUE

On trouve au nord l'océan Glacial Antique et au sud l'océan Glacial Authentique.

La capitale des Etats-Unis est Ouach Chintoc, ainsi nommée parce qu'il y a beaucoup de Chinois. – Autres grandes villes : Nouillorque et Philatélie.

Les chutes de Niagara ne fonctionnent que quand il y a des touristes.

L'hymne de Panama est très important : il y passe des milliers de bateaux.

L'Amérique latine doit son nom au fait qu'elle a été conquise par les Romains.

La Guyane est une colonie plénipotentiaire.

★

Un professeur de mathématiques demanda un jour à un élève :

– Voulez-vous me transformer ces chiffres romains en chiffres arabes.

– Je ne peux pas, m'sieur, je n'ai pas appris l'arabe.

Un autre professeur demandait à ses élèves de Maths élém. :

– Pourquoi puis-je dire que les points A, B, et C sont alignés ?

– Parce que vous êtes professeur agrégé de

mathématiques, répondit une voix au fond de la classe.

Ces fort jolies répliques n'empêchent pas les perles de proliférer au royaume des x et des y :

POIDS ET MESURES

Tous les corps sont pesants, quel que soit leur état physique ou moral.

Une molécule-gramme est une molécule qui a la forme d'un gramme.

Le kilogramme-mètre sert à connaître le poids des distances.

Le cheval-vapeur est la force déployée par un cheval pour traîner sur un kilomètre un litre d'eau bouillante.

GÉOMÉTRIE

Un vecteur est un saignement de droite.

Le carré comporte quatre angles à droite et quatre angles à gauche.

Le rectangle est un quadrupède.

Une figure qui a sept côtés est un septuagénaire.

Un angle, ce sont deux droites qui se rencontrent dans un coin.

A la réflexion, je me demande si cette dernière définition peut être considérée comme une perle. Car, après tout, un angle c'est ça !

En revanche, je suis sûr que cette version de la découverte du principe d'Archimède n'est pas orthodoxe :

Un jour, Archimède prenait son bain. Soudain, il se

sentit soulevé. Il regarda et vit que c'était un principe.

Quant au dit principe, un autre gosse l'a énoncé ainsi : *Tout corps plongé dans un liquide éprouve une bonne satisfaction.*

★

Je disais tout à l'heure que les cancres sont souvent plus près de dix-huit que de huit ans. Il arrive même qu'ils soient très largement de l'autre côté de dix-huit. Ainsi cet étudiant en chirurgie dentaire qui, lors d'un examen de chimie, avait été incapable de répondre aux questions posées. En désespoir de cause, l'examinateur lui proposa :
– Le mercure.
– Le mercure! facile, dit l'étudiant.
– Voyons la formule.
– ...
– Ne serait-ce pas Hg? suggéra l'examinateur.
– Impossible, monsieur, puisque H c'est l'hydrogène et g la pesanteur.

Mais les étudiants en chirurgie dentaire ne sont pas seuls à commettre des perles, comme le prouvent ces quelques spécimens :

LE CORPS HUMAIN

L'homme comprend trois parties : la tête, le tronc, les membres et les deux cotylédons.

Les os sont rattachés au corps par la ceinture – Les os du bras sont le radius, le cubitus et l'angélus.

La cage thoracique est faite du thorax.

On trouve le cerveau chez l'homme, la cervelle chez la femme et le cervelet chez l'enfant.

Le cœur comprend deux oreillons et deux ventriloques.

Les poumons sont protégés par le soutien-gorge.

Dans l'oreille, on trouve la tronche d'Eustache.

HYGIÈNE

Les échanges respiratoires, c'est quand on respire avec un camarade. – Lorsque l'air est vicié, l'haleine de l'homme est mortelle. – Il faut se garder de respirer dans les salles où l'air est inaccessible.

Il faut être piqué pour boire le lait d'une vache tuberculeuse.

Les poisons du système nerveux sont le café, le thé, l'alcool, le tabac et le travail.

Il faut se brosser les dents pour éviter l'écurie dentaire.

LES MALADIES

Le microbe est une petite bête qui n'a ni tête ni queue et qui nous fait beaucoup de mal. – Les principaux microbes sont les streptocoques, les staphylocoques et les œufs à la coque.

Un vaccin ce sont des petites bêtes que l'on nous met dans le corps pour empêcher les grosses de nous rendre malades. – Le vaccin est préparé en province et le sérum à Paris.

Un sanatorium est un bâtiment pour remonter les poumons à sept ou huit cents mètres de hauteur.

Les rhumatismes c'est quand les jambes sont enrhu-
mées.

La Sidonie peut se répandre dans l'articulation.

Les gens qui ont mal au foie vont au zoo de
Vichy.

Les cinq copes c'est quand on est très malade. A la
sixième, on y passe.

Si de la main droite, on se tâte le pouls au poi-
gnet gauche et qu'on ne sent rien, c'est qu'on est
mort.

Sans oublier l'élève à qui l'on demandait « Qu'en-
tend-on par fracture » et qui répondit :

– On entend crac.

Bien sûr, direz-vous, rien ne prouve que les
auteurs de tels textes deviendront médecins. D'accord, seulement voici les perles que l'on trouve
dans les copies d'examens d'élèves-infirmiers, ce qui
ne laisse pas d'être un peu inquiétant :

Pour prendre le pouls, il faut écraser l'artère.

La phlébite est l'inflation de la veine.

Le trop d'exercice donne des muscles en fleurs de
choux.

★

J'ai dit que l'on n'expliquait jamais assez les
choses aux enfants. En voici un exemple : un
instituteur venait de faire un topo sur le principe
du cadran solaire. Il demanda ensuite à un élève, il
est vrai, le plus cancre de la classe :

– Est-ce que tu as tout bien compris?

– Oui, m'sieur, mais je voudrais savoir comment
on fait pour le remonter.

Les explications sont encore plus nécessaires
quand il s'agit de sujets compliqués. La preuve :

154

SCIENCES ET TECHNIQUES

Les principaux antiseptiques sont l'eau oxygénée, la D.D.T. et la C.G.T.

Le minerai le plus riche en fer, c'est le plomb.

La houille blanche, c'est de la houille noire qui a été lavée (1).

L'air est un mélange de deux gaz : oxygène et atmosphère.

Le sable sert surtout dans les déserts.

C'est avec le gypse que l'on fabrique le dentifrice.

Les principales sources d'énergie sont le fer, le zinc, la laine, le coton et les galettes bretonnes.

L'oxyde de carbone est un poisson volant.

Pour être potable, une eau ne doit contenir aucun organiste vivant.

Un liquide prend la forme du récipient qui lui convient.

Le musée de l'Homme est un musée interdit à la femme.

LES INSTITUTIONS FRANÇAISES

Le président de la République est celui qui s'occupe de faire donner la Croix d'honneur. Il peut, s'il le désire, avoir un cabinet particulier. – Il n'a pas conscience de ses actes.

Le président du Conseil peut exercer les fonctions du cabinet en plus des siennes. – Il assure l'exécution des rois.

(1) Un petit Belge a affirmé que *la houille blanche était de l'écume d'eau que l'on fait sécher pour la brûler.*

Un décret de 1948 a placé, à la tête de certains départements, un préfet bigame...

Le maire célèbre les mariages. Il sort les bancs.

Les députés sont élus au sevrage universel.

Le dépouillement d'un scrutin c'est le moment où le maire ouvre l'urne pour y chercher les élus.

L'immunité parlementaire consiste en ce qu'un parlementaire ne peut être arrêté, sauf pour flagrant délire.

La Sécurité sociale est une caisse qui permet d'aider les malheureux à mourir de faim.

Sans la discipline, ce serait une monarchie épouvantable.

Je ne crois pas que l'on puisse terminer cette encyclopédie sans consacrer quelques lignes aux accidents d'autos. On sait toutes les complications juridiques que représentent ceux-ci. C'est pourquoi un étudiant en droit a proposé, il y a une quinzaine d'années, cette solution nettement cancrière :

Pour la recherche d'un responsable d'une collision d'autos, il est inutile de chercher la priorité, la vitesse, la position des signaux, etc. Il n'y a qu'à décider une fois pour toutes que le responsable est celui qui heurte l'autre le premier.

Tous à genoux!

Marc Chagall a raconté à Alain Bosquet qu'un jour, en visitant une exposition de dessins d'enfants, il avait vu un cheval ailé.

– C'était fantastique, lui dit-il, et je me suis mis à genoux parce qu'il y a cinquante ans que j'essaie de faire ça.

Mais le génie des enfants n'est pas réservé à la peinture. Il suffit de les écouter parler pour découvrir quels sont nos vrais maîtres et c'est plus d'une fois que les surréalistes, Queneau, Prévert ou Ionesco devraient se mettre à genoux. La preuve, ces quelques répliques :

En réponse à la question : Qu'est-ce que c'est qu'une montagne? – *C'est la terre qui fait le gros dos.*

Devant un avertisseur d'incendie : – *Regarde, papa, un distributeur de pompiers.*

En voyant des ifs près d'un cimetière : – *Oh! papa, si c'était plus petit, comme ce serait commode pour rincer les bouteilles.*

Après avoir écouté un coquillage : – *Maman, est-ce que c'est la mer qui me téléphone?*

A propos de l'horizon : – *C'est où le ciel tombe par terre.*

Retour de vacances : – *La mer, c'est de l'eau, beaucoup d'eau. Et encore : on ne voit que le dessus.*

Au sujet du téléphone : – *Moi j'ai compris comment ça marche le téléphone, c'est comme le chat : on tire la queue d'un côté, ça fait « miaou » de l'autre.*

A la fin d'un récit : – *Votre histoire m'a fait dresser les cheveux sur la soupe.*

Cette dernière phrase est de Mélanie de Vilmorin, mère de Louise, et elle m'a été envoyée par Jean Cocteau, avec quelques autres perles que j'ai déjà citées. *Je constate une fois de plus,* ajoutait-il, *combien il arrive que les fautes produisent des rencontres mystérieuses et ressemblent aux trouvailles des poètes.*

Voyons donc un peu le genre de rencontre que l'on trouve dans les rédactions des moins de seize ans (1).

Une fin à tout

La queue du chat s'effrite puis s'arrête tout à coup.

Blanc de blanc

Son visage était pâle comme celui d'un œuf dur.

Drôle de méthode

Le médecin prend sa sacoche, l'ouvre, prend le pouls, le met dans ses oreilles et écoute le cœur de mon frère puis l'enlève et répond : « Il a la grippe. »

(1) Les sur-titres sont, bien entendu, de mon cru.

Pas d'excès

Il ne faut pas se montrer plus socialiste que le roi.

Au choix

Il y a trois sortes de poésie : lyrique, dramatique et épidémique.

Le sens de la mesure

Alors le coucou fit entendre ses trois notes mysté-rieuses : cou-cou.

La rafle

Les femmes s'empressent autour des poissonniers pour essayer de prendre les plus beaux et les plus frais.

Un regard expressif

Mon camarade m'a fait des gros mots avec les yeux.

Les beaux proverbes

Il ne faut pas vendre la peau de l'ours à un plus petit que soi.

Changement de décor

Ses dents sont très jolies devant, mais derrière elles sont gâteuses.

Mélomane

(A propos d'un concerto de Mozart)
J'ai éprouvé beaucoup de joie, de bonheur et de patience à écouter cette œuvre.

Le camion et le roseau

Le camion dérapa. Il allait basculer dans la Seine, lorsqu'une tige de roseau l'arrêta.

Références

Euréka, comme disait le bon fabuliste.

Bon appétit

Mon plat préféré est l'escalope pas née.

Grandes classes

C'était un chat faisant la chasse aux mites.

Un début à tout

Mon petit frère a maintenant trois mois. Il ne peut pas encore marcher, mais il a déjà des pieds.

Rien à faire

Les vignes du Seigneur sont impénétrables.

Bon bec

La poule lui donne un coup de bec; le chien essaie de le lui rendre.

Loisirs désorganisés

On va généralement au cinéma pour se délacer.

N'est pas sidéré qui veut

Devant ce spectacle, il resta incinéré.

Tout passe

Notre radio est en panne. Les ondes sont usées.

Il n'y a pas de miracle

Mon père fait partie d'une caisse de secours pour ses obsèques, car très peu de gens sont en mesure de s'enterrer eux-mêmes.

Symphonie

On sentait des odeurs de toutes les couleurs.

Les bons sentiments

Si nous avons un parent qui est mort, nous faisons tout notre possible pour l'aider.

Cœur de taureau

Il avait le cœur qui battait la camargue.

Rien à faire

Ça n'a pas plus d'effet qu'une artère sur une jambe de bois.

Si les coqs en avaient...

Le coq, après ce bain forcé, s'en retourna vers la basse-cour, tout penaud et claquant des dents.

Estomac de fer

Ma mère met toujours dans le pot-au-feu des clous de girafe.

At home

Après avoir bien discuté, le loup et l'escargot rentrèrent dans leur coquille.

Bon conseil

Lorsqu'on prend une échelle, il faut vérifier si un ouvrier n'est pas resté dessus.

La vie en rose

Des bœufs traînaient la charrue, le sourire aux lèvres.

Les drames de l'auto-stop

Et les autos passaient sans même tourner la tête.

Clair obscur

L'homme marchait avec difficulté dans une rue seulement éclairée d'ombres.

Les géants de la nature

Je lisais couché à l'ombre de la mousse.

Bons vivants

Tous les vieux marins du village n'ont toujours eu qu'un désir : celui de venir mourir dans le pays natal et c'est une des grandes joies de leur vie.

Le sens de l'hospitalité

Tout est prêt; les invités arrivent et papa se précipite sur les dames pour les déshabiller.

Sur la pointe des pieds

Un son, c'est quand le silence se réveille et qu'il fait du bruit en se levant.

★

Quel métier ferez-vous plus tard? Cette question est souvent posée par les instituteurs et bien entendu ils obtiennent les réponses les plus variées. Celle d'un élève du cours moyen de Fontenay-aux-Roses est parvenue jusqu'à moi, via *le Canard enchaîné* et sa célèbre rubrique du Cancre Las.

Si j'avais mes vingt-trois ans, que j'aurais passé mon service militaire et mon baccalauréat, je choisirais comme métier celui de gardien de la paix. Je choisirais ce métier d'abord parce que je l'aime et aussi parce que j'aime surveiller les banques, arrêter les cambrioleurs, ainsi je pourrais faire plaisir à plusieurs personnes.

Ma journée débute tôt le matin. Je prends ma voiture et me gare dans le parking de la gendarmerie, je rentre dans le bureau, reçois les ordres de la journée et repars à pied surveiller les bijouteries. Quelquefois même je me vois donnant des coups de bâton blanc sur la foule des manifestants.

De temps en temps, on trouve des textes encore plus extraordinaires. Celui-ci, par exemple :

Une voiture roule assez vite, brusquement le conducteur s'aperçoit qu'il n'a plus de frein; son fils dit en plaisantant : « Défonçons la barrière et arrêtons-nous pour pique-niquer. » Le père le prit au sérieux et c'est ce qu'ils firent. Personne ne s'en aperçut.

Une des plus étonnantes rédactions que je connaisse a été composée par un petit Périgourdin, élève de ma belle-mère.

– Racontez l'attaque de la maison du passeur, lui avait-elle dit.

Voici ce que cela donna :

La maison du passeur devait être prise. Il y avait vingt-deux hommes. Pan, un homme tombe, ça ne fait rien. Il en restait encore vingt et un. La maison du passeur devait être prise. Pan, un homme tombe. Ça ne fait rien. Il en restait encore vingt...

Les hommes continuaient ainsi à tomber un par un, jusqu'au dernier et le devoir se terminait par :

Il n'en restait plus du tout, mais la maison du passeur était tout de même prise.

Cette rédaction est digne de celles qu'Yves Montand rédigeait quand il était en classe. Dans ses Mémoires, parues sous le titre *Du soleil plein la tête* (1), il a en effet raconté qu'il n'aimait qu'une seule chose, les compositions françaises, mais à condition de les traiter à sa manière :

Je partais sur une phrase, explique-t-il, *et brodais indéfiniment, m'éloignant du sujet mais découvrant un monde. Je noircissais ainsi des pages et des pages, noyées de fautes d'orthographe, il va sans dire, et d'inspiration parfois coq-à-l'âne....*

Par exemple, on nous demandait de raconter une course cycliste. Je commençais par décrire la route vide qui serpente parmi les prés où un petit garçon garde les vaches, puis le gamin lance une pierre pour chasser un oiseau, et voilà la pierre au milieu de la chaussée. Le peloton de tête surgit alors. Le premier crève sur le caillou, tombe, et tout le monde sur lui. Les vaches prennent peur de voir ce tas multicolore et le gamin crie. De la ferme, son oncle l'entend, laisse sa besogne et accourt. Il réparait une roue, mais qu'importe, il faut se renseigner sur ces cris. Cela peut être un voleur de bétail, ou un loup, voire un ours. L'oncle

(1) Les Éditeurs français réunis, 1955.

saisit une fourche et le voilà courant. De sa fenêtre, sa femme se demande bien ce qui lui arrive pour qu'il se mette à détaler comme un lièvre, etc., etc.

Pris par le souci de tout décrire dans cette incidente, j'oubliais totalement ma course cycliste emberlificotée à cause du maudit caillou, et je bâclais en un dénouement éclair, la plupart du temps passablement bouffon : ils venaient tous, à pied et couverts de plaies, demander du lait à la ferme et s'endormaient dans la paille comme des moissonneurs foudroyés.

Deux aimables lecteurs m'ont adressé des perles indochinoises. Je ne les ai pas mélangées avec les autres, car je leur trouve un cachet particulier. Jugez plutôt (1) :

Décrivez un voyage en train

J'apporte ces états de choses sur le train :

Le ticket à la main, on se vide un à un et se dirige au quai. – Plus loin, quelques Français font les doux baisers et serrent chaleureusement les mains réciproques.

Les retardataires courent à plat ventre et tombent scrupuleusement dans le train qui marche.

Dans le train, on voit des jeunes filles fraîchement sorties de leur bouton, comme des fleurs bigarrées sur des branches qui verdoient. Elles rient et elles s'épanouissent légèrement et le zéphir par la portière les caresse amoureusement.

(1) La plupart de ces perles datent d'avant-guerre. Comme d'habitude, les textes d'élèves différents, placés dans le même paragraphe, sont séparés par un tiret.

Les bergers et les poteaux télégraphiques suivent le train. – On voit un pont de piéton armé.

Dans les gares, les voyageurs se débouchent avec vacarme. – Ils descendent illico et courent à tue-tête parmi le va-et-vient. – A cette heure-là, on se trouve entourés par les cris des brouettes.

Si vous étiez l'heureux gagnant d'un lot de 60 000 piastres comment l'utiliseriez-vous ?

Si je gagnais cette somme si carrossable peut-être je serais mort de joie. – Je secourrais les infirmes qui s'entraînent le long de la route. – Je ferais construire des jardins remplis de caoutchouc. – Je ferais acheter des immeubles comme un lit de camp, des baguettes d'encens, etc.

J'achète des chandelles pour orner ma maison. – J'achète un ballon que j'ai vu à l'attelage d'un bazar.

Il me reste 3 piastres, j'apporte vers la tirelire et je les plonge.

Le théâtre de Molière

Je me demande si quelqu'un est assez maître de lui pour ne pas se bouffer de rire.

La vue de Tartuffe donne un conseil de ne pas recevoir à la maison un bonze voluptueux.

Le fils et la fille d'Harpagon disputent leur père; ils ont tort d'après notre loi de famille dont les Français ne connaissent pas la beauté.

Le Cid de Corneille

Une des grandes qualités de Rodrigue, c'est d'avoir été fidèle à Cupidon.

Don Diègue parle toujours d'honneur, puisqu'il est de la civilisation barbare. Aujourd'hui on met l'hon-

*neur sous le pied de l'humanité et de la fraternité. Et
un fils doit pardonner celui qui donne une gifle à son
père, parce qu'autrement ça fait beaucoup d'histoires.*

Jean-Jacques Rousseau

*Jean-Jacques Rousseau a connu le théâtre de la
ville sainte de Genève, c'est pourquoi elle est devenue
vénérable à tous les hommes de civilisation; aussi, en
ce siècle, il n'y a plus jamais de théâtre là-dedans, mais
la Société des Nations.*

★

Les lettres de nos chers petits sont parfois amusantes. En voici deux, la première écrite à l'occasion
de la fête des mères et la deuxième à une date
indéterminée :

*Et je te souhaite, ma chère petite maman, de vivre le
restant de tes jours.*

*Ma chère tante, j'espère que tu es en bonne santé
ainsi que mes coussins...*

Mais la plus étonnante lettre de gosse a été citée
par Franc Nohain, dans *le Journal de Jaboune*. Il
raconte comment son fils, alors âgé d'une dizaine
d'années, avait entendu vanter par son grand-père
les bienfaits d'un coup d'Etat. « Pourquoi tu ne le
ferais pas toi-même? » lui avait-il dit.

Le grand-père avait expliqué que, pour faire un
coup d'Etat, il fallait être au moins général. C'est
alors que Jaboune eut une idée. Il prit sa plus belle
plume et écrivit à son copain Bringel :

*Mon vieux Bringel, puisque ton grand-père est
général, mon grand-père à moi dit qu'il faut que ce soit
un général qui fasse le coup d'Etat; alors, préviens-le;*

seulement dis-lui qu'il se dépêche; parce que, tu com-
prends, comme mon grand-père m'a bien expliqué,
quand il y a un coup d'Etat, les professeurs sont
changés, et on ne va plus en classe; alors, tu com-
prends, à quatre jours de la rentrée, si ça arriverait à
pic!... Alors, n'est-ce pas, je compte sur toi pour
décider ton grand-père le général à faire le coup d'Etat
tout de suite, et, de toute façon, avant qu'on rentre,
c'est-à-dire avant lundi; ça presse, tout cela, entre
nous, bien entendu, urgent et confidentiel!

La tarentule littéraire

Lorsque j'étais en cinquième, au lycée de Talence (1), j'étais le rédacteur en chef et l'unique rédacteur du *Fait-ce-qu'il-peut*. Ce journal eut bien quatre ou cinq numéros dont le tirage était limité à un exemplaire. Il contenait un roman d'espionnage, des jeux et des histoires drôles.

Aujourd'hui, les journaux de classe sont toujours nombreux. Le rédacteur en chef de l'un d'eux, *Iroécho*, m'a brillamment interviewé. Cependant que le journal des élèves de l'Athénée royal de Bruxelles me décernait le Prix Rouge et Vert.

Les noms choisis par les journalistes en herbe sont les plus divers. Gustave Flaubert avait fondé *le Colibri* dont le titre s'inspirait du refrain d'une chanson à la mode. Fernand Gregh, en l'honneur de Platon, avait opté pour *le Banquet*.

Claude Dauphin créa à Condorcet une revue intitulée *Sève nouvelle* qui eut trois numéros. Parmi les collaborateurs : Lanza del Vasto, auteur d'un poème dont les deux premiers vers étaient :

> *Serrons le poing, cambrons le buste,*
> *Frappons le fer d'un bras robuste.*

---

(1) Dans la banlieue de Bordeaux. J'allai ensuite au lycée Michel Montaigne, à Bordeaux, puis à la faculté des lettres de la même ville.

Au même lycée Condorcet, Gilbert Cesbron avait fondé *les Taches d'Encre*; tandis qu'à Janson-de-Sailly, Claude Mauriac faisait un journal dont François Mauriac n'avait pas apprécié le titre et qui s'appelait *les Saillies de Janson*.

Jean Galtier-Boissière, qui fut au demeurant un excellent élève, a raconté dans *les Mémoires d'un Parisien* comment, à dix ans, il lança son premier journal, *l'Ecolier alsacien* :

Chaque numéro comprenait un grand article de polémique, violemment antibritannique – à propos de la guerre du Transvaal qui passionnait la jeunesse française; un chapitre de roman d'aventures : le Mystère de l'Utah *ou* les Aventures d'Arsène Lix, *nettement plagié de l'Arsène Lupin de Maurice Leblanc; une enquête d'anticipation « 1950 », des faits divers, une page de sport et une page de dessins humoristiques.*

★

Beaucoup d'écrivains ont été piqués très jeunes par la tarentule littéraire. A commencer par les enfants Brontë qui publiaient une petite revue *The young men's magazine* dont ils étaient à la fois les collaborateurs et les lecteurs. Ils écrivaient en outre des récits, des contes, des poèmes, des pièces de théâtre. La plus prolifique étant Charlotte qui, à quatorze ans, dressa un catalogue de ses propres œuvres, soit vingt-deux ouvrages.

En France, les exemples ne manquent pas non plus, de Camille Flammarion qui, à sept ans, rédigea son premier livre, *les Signes du Zodiaque*, jusqu'à Paul Bourget qui écrivit, à neuf ans, *le Roman d'une fourmi.* C'était sa première œuvre importante mais, depuis l'âge de six ans, il avait déjà à son actif quantité de vers, de nouvelles, de contes, d'études.

Anatole France écrivit, à sept ans, *Nouvelles pensées et maximes chrétiennes* qu'il dédicaça ainsi à ses parents : *Anatole a fait un livre qui est intitulé pensées chrétiennes il est trop jeune pour le faire imprimer il est âgé de sept ans il attend qu'il ait vingt ans.*

Naturellement la plupart des écrivains d'aujourd'hui ont égaré leurs œuvres d'enfance. Jean Cocteau s'est cependant souvenu de deux passages de sa première nouvelle : *En courant, elle perdit ses épingles à cheveux. Elle n'en courut que plus vite.* Et : *Elle s'élança entre les duellistes au risque de se couper en deux.*

– Hélas! me dit-il, c'est tout ce qui me reste de ce chef-d'œuvre.

Moi, j'ai conservé le manuscrit de mon premier chef-d'œuvre, un roman écrit à huit ans et demi. C'est un cahier quadrillé à la couverture ornée d'un chameau. Pas de titre et seulement la mention *Chapitre I.* Après quoi, cela commence ainsi (1) :

– *Ouf, ils sont quand même dépistés, ces satanés révolutionnaires, hein, Jacques?*

Celui qui venait de parler était le comte Charles de Maurence...

(Le père et le fils se rendaient ensuite dans la cave d'un vieil hôpital où ils retrouvaient le baron de Valois qui, d'après mon plan, devait périr quelques chapitres plus loin. Pour que ce soit moins triste, j'en avais fait *un vieux célibataire petit et trapu.*

_____

(1) J'ai rectifié l'orthographe de ce texte et de ceux qui suivent, à l'exception de celui d'Arthur Rimbaud.

Il y avait aussi Blanche, la fiancée de Jacques; son père, le marquis Albert de Beauville; Sam, un Noir *très grand, très fort, tout dévoué à Blanche* et Black, *un chien de Terre-Neuve.* Puis le comte était fait prisonnier et deux pages plus loin on le retrouvait dans son cachot.)

Il finissait juste de manger, lorsqu'un petit papier tomba. C'était une pierre à laquelle étaient attachés un morceau de papier, une lime et un crayon. Le billet était de Jacques. Le comte lut :

Cher père, scie tes barreaux avec la lime que nous t'envoyons... Tu écris si c'est oui sur le derrière du billet. Le crayon ci-joint t'y aidera avec la pierre et le billet que tu lanceras par la fenêtre.

Ton fils affectueux,

JACQUES.

Arrivé là, je m'arrêtai. Je ne repris mon manuscrit que quelques semaines plus tard. Mais comme un roman me paraissait bien long, je décidai de m'en tenir à une nouvelle et je terminai mon histoire en quatre lignes :

Le comte scia ses barreaux et se glissa le long de la corde et bientôt nos amis furent réunis et quelques jours après ils émigrèrent et Jacques et Blanche se marièrent et tout le monde fut content.

Victor Hugo fit très jeune ses premiers pas dans la littérature. Il était d'ailleurs d'une étonnante précocité et, lorsqu'on voulut lui apprendre à lire, on s'aperçut qu'il avait appris tout seul.

– Quand j'étais petit, j'ai beaucoup lu, devait-il raconter plus tard. Je me vautrais à même les bibliothèques. J'ai passé mon enfance à plat ventre sur les livres.

Il avait en outre la chance d'avoir une mère qui professait, à juste titre, que « les livres n'ont jamais fait de mal » et qui lui laissait tout lire, de Voltaire aux *Aventures du chevalier de Faublas*.

Je pense qu'il ne faut jamais s'inquiéter quand un enfant lit beaucoup, même si cela va au détriment de ses études. Pour Victor Hugo, ce n'était pas le cas, puisque à neuf ans il traduisait déjà Tacite. C'est vers le même âge qu'il commença à écrire des vers et à en remplir des cahiers. Si Abel et Eugène, ses frères, étaient assez contents de leurs premiers essais, Victor, lui, les brûlait au fur et à mesure.

Il les conserva cependant à partir du onzième cahier et, à quatorze ans, il remit à sa mère une tragédie en vers, *Irtamène*, qu'il lui dédia en ces termes :

> *... Ce ne sont pas de ces fleurs immortelles*
> *Dont Racine se pare au céleste banquet;*
> *Ce sont des fleurs simples et naturelles*
> *Comme mon cœur, maman, je t'en offre un*
> *   [bouquet.*

L'année suivante, se place l'anecdote célèbre de Victor Hugo envoyant un poème à l'Académie française qui organisait un concours. Il fut classé neuvième et François de Neufchateau qui avait eu un prix de poésie à treize ans lui écrivit :
Il faut bien que l'on me succède et j'aime en vous mon héritier.

Tout cela n'empêchait pas le jeune Victor d'avoir d'excellentes notes en sciences, de préparer Polytechnique et d'être en avance de deux ans sur son frère. Si bien que pour écrire il devait prendre sur ses nuits.

Il n'était pas comme Georges Feydeau qui commença sa première pièce à l'âge de sept ans. Son père ravi de cette précocité dit à l'institutrice qui venait le chercher :

– Laissez-le, mademoiselle. Ce matin il a travaillé : il a fait une pièce.

Je vis immédiatement, racontera plus tard Georges Feydeau, *le salut, le truc sauveur. Depuis ce jour béni, chaque fois que j'avais oublié de faire mes devoirs, je me précipitais sur mon cahier de drames. Et mon institutrice médusée me laissait la paix. On ne connaît pas assez les ressources de la dramaturgie!*

Arthur Rimbaud, lui, avait neuf ans quand il écrivit, sur son cahier de brouillon, un texte étonnant que tous les Rimbaldiens connaissent mais que l'on vient seulement de republier dans sa version première (1). C'est un peu le manifeste du bon élève qui se prépare à devenir un cancre parce qu'on veut l'embêter avec du latin et du grec; on y lit entre autres :

> *pourquoi apprendre le latin; person*
> *nene parle cette langue quelquefois*
> *j'en vois sur les journaux mais*
> *Dieu merci je ne serai pas journaliste*
>
> . . . .
>
> *Que m'inporte moiqu'alexandre*
> *ait été célèbre? Que m'inporte...*
> *que sait-on si les latins ont existé?*
> *c'est peut-être quel que langue forgée*
> *et quand meme ils auraient existé*

(1) Pierre Petitfils et Henri Matarasso, *Vie d'Arthur Rimbaud* (Hachette).

> *qu'ils me laissent rentier et conservent*
> *leur langue pour eux, quel mal leur*
> *- ai-je fait pour qu'ils me flanquent*
> *au supplice, passonsau grec... cette*
> *sale langue n'est parlée par personne*
> *personne au monde!...*

N'ayant pas persévéré dans la poésie, je n'ai aucun complexe à citer mes premiers vers juste après un texte de Rimbaud.

Ce n'est d'ailleurs qu'à onze ans que je découvris les charmes de la poésie. Je me mis alors à rimailler un peu sur tous les sujets. C'est ainsi que je me félicitai de la mort du sanglier d'une dame de nos amies et il faut croire que j'avais l'odorat délicat, puisque cela débutait par ces deux alexandrins au demeurant plutôt boiteux :

> *Isidore est passé de vie à trépas*
> *Ça ne sentira plus mauvais, hip, hip, hourrah!*

Par la suite, ma muse se fit sportive. Je consacrai des quatrains à *Borotra et Brugnon qui ne sont pas trognons... à notre cher petit Merlin, courant comme un lapin...* et au Tour de France que je faisais bien entendu rimer avec *endurance.*

Je donnai même dans le pamphlet politique et je m'y montrai farouchement antiparlementaire. Il est vrai que l'on était en pleine affaire Stavisky!

> *Presque tous les gens de la Chambre*
> *Ne sont que de la racaille*
> *Valant moins qu'une caille*
> *Et bien autant qu'un microbe.*
> *Ils n'ouvrent pas les sacs à demi*
> *Mais bien tout grands, à en casser les cordons,*

> *Pour prendre de quoi faire des gueuletons,*
> *Avec de Stavisky les bons amis...*

Le moins que l'on puisse dire est que ces débuts n'étaient guère prometteurs et je crois que j'ai bien fait de ne pas m'entêter dans cette voie. Marcel Pagnol, lui, était nettement plus doué et, à huit ans, il composa les paroles et la musique d'un étonnant *Chant de mort d'un chef comanche* (1). Ligoté au poteau de tortures, il l'entonna pendant que son frère Paul dansait autour de lui, en jouant le rôle de l'ennemi triomphant :

> *Lâche Pawnie,*
> *Tu t'ingénies :*
> *Entends mon rire sarcastique!*
> *De tes tortures,*
> *Je n'en ai cure,*
> *C'est des piqûres de moustique!*

Il y avait sept ou huit couplets et cela se terminait par :

> *Adieu, mes frères*
> *Adieu, primevères!*
> *Adieu mon cheval et mes étriers!*
> *Consolez ma mère qui pleure,*
> *Et dites-lui que tout à l'heure,*
> *Son fils est mort comme un guerrier.*

Certains enfants ont plus d'ambitions. Ma belle-sœur, Françoise d'Eaubonne, avait neuf ans quand elle décida d'écrire une tragédie en vers : *Téléma-*

---

(1) Extrait de *la Gloire de mon père*, de Marcel Pagnol (Editions Pastorelly).

que. Finalement, elle s'arrêta au bout de deux scènes, mais ses premiers alexandrins n'étaient pas si mauvais. Ainsi Calypso disant à Télémaque et Mentor qui venaient de sortir de l'eau :

Vos habits sont lourds d'eau, j'en ai de plus légers.

La scène finissait ainsi :

Et maintenant bonsoir, prince, allez-vous coucher.

Il y avait aussi le chœur des nymphes chantant :

Sœurs, qu'a donc notre reine?
Elle erre comme une âme en peine
Qui ne peut passer faute d'argent
Dans la barque de l'implacable Chéron.

Chéron, un bon gros ministre barbichu de l'époque, remplaçant Charon, cela fit, paraît-il, beaucoup rire mon beau-père.

★

A douze ans, je revins au roman avec *le Document secret*. On s'y égorgeait dans les meilleures traditions, mais Jacques, mon héros, une espèce de OSS 117 en herbe, finissait par triompher et *apportait le document au gouvernement qui le remerciait chaudement*.
Jacques était au demeurant fort courtois. Voici par exemple en quels termes il écrivait à la gendarmerie :

Monsieur le brigadier, près de la voie Ouest se trouve le corps d'une femme assassinée hier soir, dans le rapide. Allez la chercher et ne croyez pas à une plaisanterie. Ci-joint un billet de mille francs pour vous dédommager de la peine.

Recevez, monsieur, mes sentiments les plus distingués.

UN ANONYME.

Malgré ses qualités indéniables, *le Document secret* ne vaut pas *Mireille, fille des Montagnes*, roman de deux cent vingt-cinq pages que Françoise d'Eaubonne écrivit à douze ans et demi. Elle l'envoya ensuite à un concours organisé par les éditions Denoël et Steel et il fut sélectionné, avec vingt-cinq autres, pour paraître, en 1932, sous le titre *Histoires d'enfants contées et illustrées par eux-mêmes*.

Je trouve d'ailleurs que l'on aurait dû donner un prix à Françoise, mais il paraît que certains membres du jury avaient été choqués par la verdeur du récit. Et puis on avait peine à croire qu'une fillette de douze ans et demi ait pu rédiger cela toute seule. Une enquête discrète fut même effectuée par l'intermédiaire d'un curé de Toulouse.

Je puis assurer aujourd'hui que personne n'a aidé Françoise. C'est pourquoi j'ai tenu à présenter ici un résumé et quelques extraits des étonnantes aventures de *Mireille, fille des Montagnes* :

(Dominique, amoureux déçu de Mireille, la dénonce aux gendarmes comme contrebandière; puis il retombe amoureux d'elle et l'aide à s'évader.)

— *Personne n'est venu la voir, sauf Dominique, et ce ne peut pas être lui, dit l'infirmier; c'est lui qui a aidé les gendarmes à la prendre.*

Dominique dit effrontément :

— *D'ailleurs, je suis un bon électeur trop respectueux de l'autorité pénitentiaire, pour faire évader une incarcérée violeuse de douane!*

– *On ne vous soupçonne pas, jeune homme, répon-dit le clairvoyant policier.*

(La mère de Dominique, boulangère de son état, est ruinée par un procès.)

– *Je travaillerai, m'man, promit Dominique.*

Il se fit acteur de cinéma.

(Dominique tombe malade. Il retourne au pays. Il est piqué par un serpent et Mireille le sauve. Puis elle lui donne un petit coffret contenant :)

Une perle grosse comme une noix de coco, qui irisait ses feux sur l'écrin, resplendissant de reflets fulgurants.

Un bout de papier de l'écriture de Mireille :

Cette perle vaut deux millions.

(Avec le montant de la vente de la perle, la boulangère achète un hôtel et, quelques années après, Dominique part à Paris pour retrouver Mireille. Il descend au Rasta-Palace.)

Rasta-Palace *était un bel hôtel. Rien n'y manquait : ni les fourrures du hall, ni les panneaux de verre peint, ni le mignon ascenseur, ni le tapis rouge de l'escalier, ni les thés dansants, les jazz-band de nègres qui miaulent une romance anglaise en roulant des yeux sales, les tourbillons multicolores des danses, enfin, rien ne manquait à ce palais.*

Dominique avait la chambre 24, au quatrième étage. Il s'y installa. Il fut bientôt la coqueluche de toutes les élégantes habituées de Rasta-Palace. *Mais, réservé, froid, tout juste poli, il lassa leurs avances.*

Mais un jour, une bonne dame, qui n'avait pas d'eau courante, s'apprêtait à aller en chercher dans une cruche; mais elle était vieille et Dominique se proposa obligeamment et fut accepté.

Il descendit dans la cour, pompa un broc d'eau et remonta l'escalier.

(Au *Rasta-Palace,* Dominique fait également connaissance d'une certaine Meryda qui lui apprend la vérité. La mère de Mireille est hindoue. Pour venger son mari tué par les Anglais, elle a fait construire un sous-marin qui détruit la flotte britannique navire par navire. Mais Mireille et sa mère ont finalement été capturées. Il faut les aider à s'évader.)

– *Voyons! dit Meryda, du cran, Dominique! Encore du cran, toujours du cran, comme disait mon vieil ami Danton!*

(Les deux femmes sont délivrées. Dominique et Mireille se marient au milieu de leurs amis.)

Et ils sont tous sur la terrasse. Sambo tient sur ses genoux la petite Zaza... qui a vingt ans; mais compte-t-on l'âge des enfants, quand on est père?

★

Dans *Histoires d'enfants contées et illustrées par eux-mêmes*, on trouve deux ou trois autres textes assez extraordinaires; en particulier celui de Jacqueline Guyot (dix ans). Elle y conte les mésaventures de Bamboucoucoula, un petit négrillon qui tombe en voulant voler des confitures de bananes. Cela se termine ainsi :

Il s'était cassé la jambe en tombant de l'échelle. Alors le docteur la lui a coupée et avec un bout de bananier on lui a fait une jambe en bois. Il était bien malheureux, Bamboucoucoula, parce qu'on marche très mal avec une jambe en bananier. Sa maman a beaucoup pleuré et puis elle l'a beaucoup fouetté, ce qui l'a fait crier très fort encore une fois.

Et puis il a été dégoûté des confitures de bananes. Mais il n'est plus gourmand.

Ce texte m'en rappelle un autre dû à la plume de ma nièce Brigitte, quand elle avait cinq ans :

Il était une fois un monsieur qui ne savait pas conduire. Il se ficha dans un arbre. Il est blessé. On l'amène à l'hôpital. Le docteur a dit il avait l'épaule cassée. Sa femme pleurait parce qu'elle avait plus son homme. Il est revenu à la maison. Il est resté cinq mois au lit. Quand il a été guéri on lui a appris à conduire. Après il a su conduire. Il a plus fait de bêtises. Sa femme était contente.

C'est Brigitte aussi qui a non pas écrit mais raconté l'histoire de ce loup qui avait mangé toute une famille, père, mère, grand-mère, etc. Elle concluait en disant :

– Il y avait un monde fou dans son ventre.

Naturellement, en bon père hibou, je terminerai par une histoire que m'a racontée Jérôme et que j'aime beaucoup. Lui n'était pas d'accord :

– Les gens vont trouver que c'est une mauvaise histoire, me dit-il.

Il finit cependant par accepter et je lui passe la parole :

– Voilà que Barbe Rouge entra chez le marchand : Donnez-moi de la salade, dit-il.

» Il donna des pièces et le marchand essaya de tordre les sous pour voir si c'étaient des bons sous. Mais dans la dernière pièce, il y avait de la poudre et elle se renversa partout. Le marchand alla le dire à Nick Carter.

» – Tu t'arrêtes de faire des petites blagues, dit Nick Carter à Barbe Rouge. La prochaine fois tu iras en prison.

» Le lendemain, Barbe Rouge dit au marchand :

» – Vous voulez me donner du sucre ?

» Il donna une pièce et le marchand la mit dans sa caisse. On entendit la pièce qui chantait.

» – Tiens, ça va nous faire un électrophone, dit le marchand.

» Il la retourna et elle s'arrêta.

» Barbe Rouge donna des pièces à tout le monde et on entendait de la musique dans les routes, dans les maisons, partout, partout.

TABLE DES MATIÈRES

Littérature générale

extrait
du catalogue

AKÉ LOBA
Kocoumbo, l'étudiant noir (1511★★★)
L'exil d'un jeune Africain au Quartier Latin.

ANDREWS Virginia C.
Fleurs captives (1165★★★★)
Quatre enfants séquestrés par leur mère...
Pétales au vent (1237★★★★)
Libres, ils doivent apprendre le monde...
Bouquet d'épines (1350★★★★)
Mais les fantômes du passé menacent.
Ma douce Audrina (1578★★★★)
Elle voulait ressembler à sa sœur morte.

AUEL Jean M.
Ayla, l'enfant de la terre (1383★★★★)
*A l'époque préhistorique, une petite fille
douée d'intelligence est élevée au sein d'une
tribu moins évoluée.*
La vallée des chevaux (1655★★★★★)
Ayla découvre le feu et l'amour

AVRIL Nicole
Monsieur de Lyon (1049★★★)
*Ce séduisant « monstre à visage de femme »
n'est-il qu'un être de mort ?*
La disgrâce (1344★★★)
*A treize ans, Isabelle découvre qu'elle est
laide ; pour elle, le monde bascule.*

BACH Richard
Jonathan Livingston le goéland (1562★)
Une leçon d'art de vivre. Illustré.

BARCLAY et ZEFFIRELLI
Jésus de Nazareth (1002★★★)
*Récit fidèle de la vie et de la passion du
Christ, avec les photos du film.*

BARNARD Christian
Les saisons de la nuit (1033★★★)
*Un médecin doit-il révéler à une femme qu'il
a aimée qu'elle est atteinte d'une maladie
incurable ?*

BAUM Frank L.
Le magicien d'Oz (The Wiz) (1652★★)
*Dorothée et ses amis traversent un pays
enchanté. Illustré*

BINCHY Maeve
C'était pourtant l'été (1727★★★★★)
*Deux jeunes femmes, tendres, passionnées,
modernes.*

BORY Jean-Louis
Mon village à l'heure allemande (81★★★)
Malgré l'Occupation, le rire garde ses droits.

BRISKIN Jacqueline
Paloverde (2t. 1259★★★★ et 1260★★★★)
*En Californie, dans l'aventure du pétrole et
les débuts d'Hollywood, deux femmes
inoubliables.*
Les sentiers de l'aube
(2t. 1399 ★★★★ et 1400 ★★★★)
*Où l'on retrouve les descendants des héros de
Paloverde.*

BROCHIER Jean-Jacques
Odette Genonceau (1111★)
*Elle déchiquette à coups de bec ceux qui
vivent autour d'elle.*
Villa Marguerite (1556★★)
*L'Occupation, la bouffe, les petits-bour-
geois : une satire impitoyable.*

BUCK Pearl
Une certaine étoile (891★★★)
De par le monde, en chacun, brille l'espoir.

BURON Nicole de
Vas-y maman (1031★★)
*Après quinze ans d'une vie transparente, elle
décide de se mettre à vivre.*
Dix-jours-de-rêve (1481★★★)
*Les îles paradisiaques ne sont plus ce qu'elles
étaient.*

CARRIÈRE Jean-Claude
Humour 1900 (1066★★★★)
*Un feu d'artifice des plus brillants humoris-
tes du début du siècle.*

CARS Guy des
La brute (47★★★)
Aveugle, sourd, muet, ... et meurtrier ?
Le château de la juive (97★★★★)
Une ambition implacable.
La tricheuse (125★★★)
Elle triche avec l'amour et avec la mort.

L'impure (173 ★★★★)
La tragédie de la lèpre.

La corruptrice (229 ★★★)
La hantise du cancer.

La demoiselle d'opéra (246 ★★★)
L'art et la luxure.

Les filles de joie (265 ★★★)
La rédemption par l'amour.

La dame du cirque (295 ★★)
La folie chez les gens du voyage.

Cette étrange tendresse (303 ★★★)
Celle qui hésite à dire son nom.

La cathédrale de haine (322 ★★★)
La création aux prises avec les appétits matériels.

L'officier sans nom (331 ★★)
L'humilité dans le devoir.

Les sept femmes (347 ★★★★)
Pour l'amour et la fortune, accepteriez-vous de perdre une année de votre jeunesse ?

La maudite (361 ★★★)
L'effroyable secret de la dualité sexuelle.

L'habitude d'amour (376 ★★)
La passion d'un Européen et d'une Orientale, amoureuse née.

Sang d'Afrique (2t. 399 ★★ et 400 ★★)
Jacques, l'étudiant noir, ramène dans son pays natal la blonde Yolande.

Le Grand Monde
(2t. 447 ★★★★ et 448 ★★★★)
Agent secret français, Jacques découvre à Saïgon l'amour de Maï, la taxi-girl chinoise.

La révoltée (492 ★★★★)
Jeune et comblée, pourquoi a-t-elle abattu son père et tenté de tuer sa mère ?

Amour de ma vie (516 ★★★)
L'amour et la haine dans le monde du cinéma.

Le faussaire (548 ★★★★)
Le drame de ce grand peintre est d'être un faussaire de génie.

La vipère (615 ★★★★)
Il retrouve à Paris celle qui, en Indochine, a fait assassiner son meilleur ami.

L'entremetteuse (639 ★★★)
Elle tient la première maison de rendez-vous de Paris, mais elle n'aime qu'un seul homme.

Une certaine dame (696 ★★★★)
Cette femme, belle, riche, adulée, est-elle une erreur de la nature ?

L'insolence de sa beauté (736 ★★★)
Une femme laide et intelligente a recours à la chirurgie esthétique. Conservera-t-elle sa séduction ?

L'amour s'en va-t-en guerre (765 ★★)
Trois femmes, trois générations, trois amours pleins de panache et d'élégance.

Le donneur (809 ★★)
Des milliers de femmes ont eu des enfants de lui, et pourtant il n'aime qu'Adrienne.

J'ose (858 ★★)
Un père parle à son fils, à cœur ouvert.

De cape et de plume
(2t. 926 ★★★ et 927 ★★★)
Le roman d'une existence prodigieuse de vitalité, riche en rencontres étonnantes.

Le mage et le pendule (990 ★)
Grâce à son pendule, le mage sait voir à travers les âmes.

L'envoûteuse (2t. 1039 ★★★ et 1040 ★★★)
Elle change aussi facilement d'identité que de visage et possède le pouvoir d'envoûter, même à distance.

Le mage et les lignes de la main
... et la bonne aventure
... et la graphologie (1094 ★★★★)
Les mystères du cœur féminin.

La justicière (1163 ★★)
Deux mères s'affrontent : celle d'un enfant assassiné et celle de l'assassin.

La vie secrète de Dorothée Gindt (1236 ★★)
Une femme caméléon à la vie prodigieuse.

La femme qui en savait trop (1293 ★★)
Nadia la voyante fera tout pour gagner celui qu'elle aime.

Le château du clown (1357 ★★★★)
Plouf, le clown, aime Carla, l'écuyère ; pour elle il veut acquérir le plus beau château du monde.

La femme sans frontières (1518 ★★★)
L'amour transforme une jeune bourgeoise en terroriste.

Boulevard des illusions (1710 ★★★)
Des personnages fabuleux qui stupéfient les foules.

CARS Jean des

Sleeping Story (832★★★★)
*Orient-Express, Transsibérien, Train bleu :
grande et petite histoire des wagons-lits.*
Haussmann, la gloire du Second Empire
(1055★★★★)
*La prodigieuse aventure de l'homme qui a
transformé Paris.*
Louis II de Bavière (1633★★★)
*Une biographie passionnante de ce prince
fou, génial et pervers. J'ai Lu l'histoire.*
Elisabeth d'Autriche ou la fatalité
(1692★★★★)
*Le destin extraordinaire de Sissi. J'ai Lu
l'histoire.*

CASTELOT André

Les battements de cœur de l'histoire
(1620★★★★)
*La politique et l'histoire confrontées au
cœur et à l'amour. J'ai Lu l'histoire.*

CASTRIES duc de

La Pompadour (1651★★★★)
*Les vingt ans de règne d'une femme d'excep-
tion. J'ai Lu l'histoire.*

CESBRON Gilbert

Chiens perdus sans collier (6★★)
Le drame de l'enfance abandonnée.
C'est Mozart qu'on assassine (379★★★)
*Le divorce de ses parents plonge Martin dans
l'univers sordide des adultes. En sortira-t-il
intact ?*
La ville couronnée d'épines (979★★)
*Amoureux de la banlieue, l'auteur recrée sa
beauté passée.*
Mais moi je vous aimais (1261★★★★)
*Assoiffé d'amour, le petit Yann se heurte à
l'égoisme des adultes, car son esprit ne gran-
dit pas aussi vite que son corps.*
Huit paroles pour l'éternité (1377★★★★)
*Comment appliquer aujourd'hui les paroles
du Christ.*

CHARDIGNY Louis

Les maréchaux de Napoléon (1621★★★★)
*Des hommes hors du commun à une époque
exceptionnelle. J'ai Lu l'histoire.*

CHOUCHON Lionel

Le papanoïaque (1540★★)
Sa fille de quinze ans le rend fou de jalousie.

CHOW CHING LIE

Le palanquin des larmes (859★★★)
*La révolution chinoise vécue par une jeune
fille de l'ancienne bourgeoisie.*
Concerto du fleuve Jaune (1202★★★)
*Un autoportrait où le pittoresque alterne
avec le pathétique.*

CLANCIER Georges-Emmanuel

Le pain noir :
1 - **Le pain noir** (651★★★)
2 - **La fabrique du roi** (652★★★)
3 - **Les drapeaux de la ville** (653★★★★)
4 - **La dernière saison** (654★★★)
*De 1875 à la Seconde Guerre mondiale, la
chronique d'une famille pauvre à l'heure des
premiers grands conflits du travail.*
L'éternité plus un jour
(2t. 810 ★★★★ et 811★★★)
*C'est ce qu'il faudrait à Henri pour vivre son
amour avec Elisabeth.*
La halte dans l'été (1149★★)
Un grand-père à l'écoute de la jeunesse.

CLAVEL Bernard

Le tonnerre de Dieu (290★)
*Une fille perdue redécouvre la nature et la
chaleur humaine.*
Le voyage du père (300★)
*Le chemin de croix d'un père à la recherche
de sa fille.*
L'Espagnol (309★★★★)
*Brisé par la guerre, il renaît au contact de la
terre.*
Malataverne (324★)
*Ce ne sont pas des voyous, seulement des
gosses incompris.*
L'hercule sur la place (333★★★)
*L'aventure d'un adolescent parmi les gens du
voyage.*
Le tambour du bief (457★★)
*Antoine, l'infirmier, a-t-il le droit d'abréger
les souffrances d'une malade incurable ?*
Le massacre des innocents (474★)
*La découverte, à travers un homme admira-
ble, des souffrances de la guerre.*
L'espion aux yeux verts (499★★★)
*Des nouvelles qui sont aussi les souvenirs les
plus chers de Bernard Clavel.*

La grande patience :
1 - La maison des autres (522★★★★)
2 - Celui qui voulait voir la mer
(523★★★★)
3 - Le cœur des vivants (524★★★★)
4 - Les fruits de l'hiver (525★★★★)
*Julien ou la difficile traversée d'une adoles-
cence sous l'Occupation.*
Le seigneur du fleuve (590★★★)
*Le combat, sur le Rhône, de la batellerie à
chevaux contre la machine à vapeur.*
Pirates du Rhône (658★★)
*Le Rhône d'autrefois, avec ses passeurs, ses
braconniers, ses pirates.*
Le silence des armes (742★★★)
*Après la guerre, il regagne son Jura natal.
Mais peut-on se défaire de la guerre ?*
Écrit sur la neige (916★★★)
Un grand écrivain se livre à ses lecteurs.
Tiennot (1099★★)
*Tiennot vit seul sur son île lorsqu'une femme
vient tout bouleverser.*
La bourrelle – l'Iroquoise (1164★★)
*Au Québec, une femme a le choix entre la
pendaison et le mariage.*
Les colonnes du ciel :
1 - La saison des loups (1235★★★)
*Un hiver terrible où le vent du nord portait
la peur, la mort et le hurlement des loups.*
2 - La lumière du lac (1306★★★★)
*L'histoire de ce « fou merveilleux » qui bou-
leverse les consciences, réveille les tièdes,
entraîne les ardents.*
3 - La femme de guerre (1356★★★)
*Pour poursuivre l'œuvre du « fou merveil-
leux », Hortense découvre « l'effroyable
devoir de tuer ».*
4 - Marie Bon Pain (1422★★★)
*Marqué par la guerre, Bisontin ne supporte
plus la vie au foyer.*
5 - Compagnons du Nouveau Monde
(1503★★★)
*Bisontin débarque à Québec où il tente de
refaire sa vie.*
L'homme du Labrador (1566★★)
*Un inconnu bouleverse la vie d'une servante
rousse.*
Terres de mémoire (1729★★)
Bernard Clavel à cœur ouvert.

COLETTE
Le blé en herbe (2★)
*Phil partagé entre l'expérience de Léa et
l'innocence de Vinca.*

CORMAN Avery
Kramer contre Kramer (1044★★★)
*Abandonné par sa femme, un homme reste
seul avec son tout petit garçon.*
Le vieux quartier (1438★★★)
*Un homme arrivé quitte tout pour retrouver
son enfance.*

CURTIS Jean-Louis
L'horizon dérobé :
1 - L'horizon dérobé (1217★★★★)
2 - La moitié du chemin (1253★★★★)
3 - Le battement de mon cœur (1299★★★)
Seule l'amitié résiste à l'usure des ans.

DAUDET Alphonse
Tartarin de Tarascon (34★)
Sa vantardise en a fait un héros immortel.
Lettres de mon moulin (844★)
*Le curé de Cucugnan, la chèvre de M. Se-
guin... Des amis de toujours.*

DECAUX Alain
Les grands mystères du passé (1724★★★★)
*Les énigmes historiques les plus célèbres. J'ai
Lu l'histoire.*

DÉCURÉ Danielle
Vous avez vu le pilote ? c'est une femme !
(1466★★★)
*Un récit truculent par la première femme
pilote de long courrier. Illustré.*

DEL CASTILLO Michel
Les Louves de l'Escurial (1725★★★★)
*A la cour d'Espagne, horreur, fanatisme
mais aussi tendresse. J'ai Lu l'histoire.*

DÉON Michel
Louis XIV par lui-même (1693★★★)
*Un grand roi raconté par lui-même. J'ai Lu
l'histoire.*

DHÔTEL André
Le pays où l'on n'arrive jamais (61★★)
*Deux enfants découvrent le pays où leurs
rêves deviennent réalité.*

DOCTOROW E.L.
Ragtime (825 ★ ★ ★)
Un tableau endiablé et féroce de la réalité américaine au début du siècle.

DORIN Françoise
Les lits à une place (1369 ★ ★ ★ ★)
... ceux où l'on ne dort pas forcément seul.
Les miroirs truqués (1519 ★ ★ ★ ★)
Peut-on échapper au réel et vivre dans l'illusion ?

DRUCKER Michel
La chaîne (1218 ★ ★ ★ ★)
Peut-on pirater le journal télévisé ?

DUTOURD Jean
Mémoires de Mary Watson (1312 ★ ★ ★)
Venue pour consulter Sherlock Holmes, Mary Morstan épousera le Dr Watson. Elle raconte son histoire à sa manière.
Henri ou l'éducation nationale (1679 ★ ★ ★)
La révolte contre la bêtise.

EXMELIN A.O.
Histoire des Frères de la côte (1695 ★ ★ ★ ★)
En 1668, Exmelin devient le médecin des flibustiers des Antilles. J'ai Lu l'histoire.

FERRIÈRE Jean-Pierre
La nuit de Mme Hyde (933 ★ ★ ★)
Passer du second rôle au premier, c'est risquer la mort ou pire.
Jamais plus comme avant (1241 ★ ★ ★)
En recherchant ses amis d'il y a vingt ans, Marina se trouvera-t-elle ?
Le diable ne fait pas crédit (1339 ★ ★)
Mathieu veut se venger d'un couple d'amants pervers.
Chambres séparées (1376 ★ ★ ★)
Deux femmes peuvent-elles échanger leur destin ?

FIELDING Joy
Dis au revoir à Maman (1276 ★ ★ ★)
Il vient de lui « voler » ses enfants. Une femme lutte pour les reprendre.

FLAUBERT Gustave
Madame Bovary (103 ★ ★)
De cet adultère provincial Flaubert a fait un chef-d'œuvre

FRANCOS Ania
Sauve-toi, Lola (1678 ★ ★ ★ ★)
Une femme lutte gaiement contre la maladie.

FRISON-ROCHE
La peau de bison (715 ★ ★)
La passion des grands espaces pourra-t-elle sauver de la drogue cet adolescent ?
La vallée sans hommes (775 ★ ★ ★)
Dans le Grand Nord, il s'engage sur la Nahanni, la rivière dont on ne revient pas.
Carnets sahariens (866 ★ ★ ★)
Le chant du sable et du silence.
Premier de cordée (936 ★ ★ ★)
Cet appel envoûtant des cimes inviolées est devenu un classique.
La grande crevasse (951 ★ ★ ★)
La montagne apporte la paix du cœur à un homme déchiré.
Retour à la montagne (960 ★ ★ ★)
Pour son fils, Brigitte doit vaincre l'hostilité des hommes et des cimes.
La piste oubliée (1054 ★ ★ ★)
Dans les cimes bleues du Hoggar, Beaufort, l'officier, et Lignac, le savant, cherchent à retrouver une piste secrète.
La Montagne aux Écritures (1064 ★ ★ ★)
Où est la mission Beaufort-Lignac ? Le capitaine Verdier part à sa recherche.
Le rendez-vous d'Essendilène (1078 ★ ★ ★)
Perdue, seule au cœur du désert....
Le rapt (1181 ★ ★ ★ ★)
Perdue dans le Grand Nord, Kristina sera-t-elle sauvée ?
Djebel Amour (1225 ★ ★ ★ ★)
Devenue la princesse Tidjania, elle fut la première Française à régner au Sahara.
La dernière migration (1243 ★ ★ ★ ★)
La civilisation moderne va-t-elle faire disparaître les derniers Lapons ?
Peuples chasseurs de l'Arctique (1327 ★ ★ ★ ★)
La rude vie des Eskimos, chasseurs d'ours et de caribous, et pêcheurs de phoques. Illustré.
Les montagnards de la nuit (1442 ★ ★ ★ ★)
Une grande épopée de la Résistance.
Le versant du soleil (2t. 1451 ★ ★ ★ ★ , 1452 ★ ★ ★ ★)
La vie de l'auteur : une aventure passionnante.
Nahanni (1579 ★ ★ ★)
Une extraordinaire expédition dans le Grand Nord. Illustré.

GALLO Max
La baie des Anges :
1 – La baie des Anges (860★★★★)
2 – Le palais des Fêtes (861★★★★)
3 – La promenade des Anglais (862★★★★)
De 1890 à nos jours, la grande saga de la famille Revelli.

GEDGE Pauline
La dame du Nil (2t. 1223★★★ et 1224 ★★★)
Elle fut pharaon et partagea un impossible amour avec l'architecte qui construisait son tombeau.
Les seigneurs de la lande
(2t. 1345★★★★ et 1346★★★★)
Chez les Celtes, deux hommes et deux femmes aiment et se déchirent tout en essayant de repousser l'envahisseur romain.

GRAY Martin
Le livre de la vie (839★★)
Cet homme qui a connu le plus grand des malheurs ne parle que d'espoir.
Les forces de la vie (840★★)
Pour ceux qui cherchent comment exprimer leur besoin d'amour.
Le nouveau livre (1295★★★)
Chaque jour de l'année, une question, un espoir, une joie.

GRÉGOIRE Menie
Tournelune (1654★★★)
Une femme du XIXᵉ siècle revit aujourd'hui.

GROULT Flora
Maxime ou la déchirure (518★★)
A quarante ans, quitter Pierre, est-ce une défaite ou un espoir d'accomplissement ?
Un seul ennui, les jours raccourcissent (897★★)
... mais qu'ils sont passionnés encore pour une femme qui redécouvre l'amour.
Ni tout à fait la même, ni tout à fait une autre... (1174★★★)
Elle ne subit plus son destin, elle le choisit.
Une vie n'est pas assez (1450★★★)
A Mexico, elle retrouve son premier amour.
Mémoires de moi (1567★★)
L'enfance et l'adolescence de l'auteur.

GUEST Judith
Des gens comme les autres (909★★★)
Après un suicide manqué, un adolescent redécouvre ses parents

GURGAND Marguerite
Les demoiselles de Beaumoreau (1282★★★)
Arrivées en Poitou par le froid hiver 1804, elles deviennent bientôt l'âme du village.

GUTCHEON Beth
Une si longue attente (1670★★★★)
Alex, sept ans, parti pour l'école, disparaît.

HALEY Alex
Racines (2t. 968★★★★ et 969 ★★★★)
Triomphe mondial de la littérature et de la TV, le drame des esclaves noirs en Amérique.

HAYDEN Torey L.
L'enfant qui ne pleurait pas (1606★★★)
Le sauvetage d'une enfant condamnée à la folie.
Kevin le révolté (1711★★★★)
A quinze ans Kevin se cache et refuse de parler.

HÉBRARD Frédérique
Un mari, c'est un mari (823★★)
... et une épouse un lave-vaisselle ?
La vie reprendra au printemps (1131★★)
Il a tout conquis, sauf la liberté.
La chambre de Goethe (1398★★★)
La dernière guerre vue à travers les yeux d'une petite fille.
Un visage (1505★★)
Le regard naïf et lucide d'une jeune fille sur le monde du théâtre.

HENSTELL Diana
L'enfant au miroir (1681★★★★)
Une mère peut-elle craindre son propre fils ?

JACOB Yves
Mandrin, le voleur d'impôts (1694★★★)
L'histoire vraie d'un personnage célèbre. J'ai Lu l'histoire.

JAGGER Brenda
Les chemins de Maison Haute
(2t. 1436★★★★ et 1437★★★★)
Mariée de force à seize ans, elle lutte pour son bonheur.
Le silex et la rose
(2t. 1604★★★★ et 1605★★★★)
La suite exceptionnelle des Chemins de Maison Haute.

IVOI Paul d'

Auteur des célèbres « Voyages excentriques », Paul d'Ivoi fut le principal disciple de Jules Verne et l'écrivain français le plus lu du début du siècle.

La Diane de l'archipel (1404 ★★★★)
Une statue d'aluminium renferme le corps d'une jeune fille vivante.

La capitaine Nilia (1405 ★★★★)
Une jeune télépathe ordonne le détournement des eaux du Nil.

Les semeurs de glace (1418 ★★★★)
L'explosion de la montagne Pelée fut provoquée par des billes d'air liquide.

Corsaire Triplex (1444 ★★★★)
Ce corsaire en trois personnes sillonne le fond des mers.

Docteur Mystère (1458 ★★★★)
La traversée des Indes dans une forteresse électrique.

Cigale en Chine (1471 ★★★★)
Les stupéfiantes aventures du jeune Cigale et de la princesse Roseau Fleuri.

Les cinq sous de Lavarède (1512 ★★★★)
Un journaliste fait le tour du monde avec cinq sous en poche.

L'aéroplane fantôme (1527 ★★★★)
Où l'auteur invente le lance-embolie et le premier overcraft du monde.

La course au radium (1544 ★★★★)
Un duel pittoresque pour se procurer ce métal mortel, qui peut aussi guérir.

Les dompteurs de l'or (1596 ★★★★)
Un vaisseau aérien qui répand des nuages réfrigérants

JEAN-CHARLES

La foire aux cancres (1669 ★★)
Les perles de deux générations d'écoliers.

Le rire en herbe (1730 ★★)
Les trouvailles des humoristes du jeune âge.

JOFFO Joseph

Le cavalier de la Terre promise (1680 ★★★★)
Une fabuleuse chevauchée de l'empire des tsars à la Terre promise.

JURGENSEN Geneviève

A peine un désordre (1443 ★★)
En un jour nous savons tout de Judith.

JYL Laurence

Coup de cœur (1524 ★★)
Comment rendre sa jeunesse à l'homme qu'on aime ?

KAYE M.M.

Pavillons lointains (2t. 1307 ★★★★ et 1308 ★★★★)
Au temps des Maharadjahs, Juli, princesse indienne, et Ash, le jeune Anglais élevé comme un Hindou, luttent pour leur amour.

Zanzibar (2t. 1551 ★★★ et 1552 ★★★)
Civilisations et races s'affrontent dans ce roman plein d'amour et de fureur.

KEUN Irmgard

Après minuit (1290 ★★)
1936 en Allemagne, Suzanne, dix-huit ans, fuit sa famille et son amour pour échapper à la montée du nazisme.

Gilgi, jeune fille des années 30 (1403 ★★)
A vingt et un ans, elle quitte tout pour rechercher ses vrais parents.

La jeune fille en soie artificielle (1607 ★★★)
Avec une garde-robe de vamp elle veut conquérir Berlin.

KONSALIK Heinz G.

Amours sur le Don (497 ★★★★)
Un journaliste allemand est aimé par la belle Helena, agent du K.G.B., et par Nioucha, la sauvage fille cosaque.

Brûlant comme le vent des steppes
(549 ★★★★)
Un orphelin allemand est adopté en 1945 par un officier soviétique.

La passion du Dr Bergh (578 ★★★)
Un grand médecin voit sa carrière menacée par la haine d'une femme.

Docteur Erika Werner (610 ★★★)
Par amour, elle s'accuse à la place de son amant indigne.

Mourir sous les palmes (655 ★★★)
Sur une île déserte, deux hommes et une femme soupçonnés de meurtre.

Aimer sous les palmes (686 ★★)
Père et fils luttent contre le fanatisme des indigènes et la nature déchaînée.

Deux heures pour s'aimer (755 ★★)
Que faire d'une maîtresse clandestine morte dans vos bras ?

Achevé d'imprimer sur les presses de l'imprimerie Brodard et Taupin
58, rue Jean Bleuzen, Vanves. Usine de La Flèche,
le 5 novembre 1984
1032-5 Dépôt légal novembre 1984. ISBN : 2 - 277 - 21730 - 1
Imprimé en France

Editions J'ai Lu
27, rue Cassette, 75006 Paris
diffusion France et étranger : Flammarion

1730
★ ★